P9-DBN-009

Todo un mundo de sonrisas

Todo un mundo de sonrisas

Elizabeth Fodor
Montserrat Morán

Segunda edición

PIRÁMIDE

Diseño y viñetas: Gerardo Domínguez
Fotografías: Amador Toril
Vestuario: Moda infantil Carmen´s. Madrid
Maquillaje: Mercedes Novella
Frutas y verduras: Boutique Tom – Vic. Madrid

ADVERTENCIA

Las autoras y el editor renuncian explícitamente a hacerse responsables de cualquier accidente o perjuicio (personal, económico o de otra índole) que se pueda sufrir como consecuencia, directa o indirecta, de la aplicación de cualquiera de los contenidos de esta obra.

Juan Ignacio Luca de Tena, 15. 28027 Madrid
Teléfono: 91 393 89 89
www.edicionespiramide.es
Depósito legal: M. 44.702-2007
ISBN: 978-84-368-2148-2
Printed in Spain
Impreso en Varoprinter, S. A.
Polígono Industrial de Coslada
Artesanía, 17. Coslada (Madrid)

Quisiera dedicar este libro a todos los abuelos y abuelas que cada día juegan, se divierten y disfrutan viendo crecer a sus nietos. En su día fueron padres, papel que estuvo lleno de grandes responsabilidades, aunque, seguro, también disfrutaron viéndonos madurar hasta reencontrarnos de nuevo para vivir una nueva etapa en la que nos convertimos en cómplices. Quisiera que este libro fuera un homenaje especial a mi padre y mi madre, que hicieron todo lo posible para que fuera capaz de escuchar mi vida.

Gracias, papá, por haber tenido la paciencia infinita de soportar todas mis rabietas de adolescente, por estar ahí en los momentos cruciales de mi vida, por quererme, protegerme y comprenderme incluso cuando yo misma no era capaz de ser yo. ¡Ah! Y por darme momentos maravillosos llenos de interminables discusiones que nos han servido para estar más cerca. Te quiero.

Gracias, mamá, por quererme a pesar de ser tan diferentes, por tu paciencia para sobrellevarme y por aconsejarme con sentido común durante mi vida (independientemente de que te haya hecho caso o no). En especial, por llevar con dignidad el hecho de no tener una hija que sepa cocinar, coser un botón o tejer un jersey (con lo bien que sabes hacerlo tú). Te quiero

Dedico las sonrisas, de las que este libro está lleno, a todos aquellos que permiten en algún momento que los niños y niñas que tienen cerca invadan sus vidas con alboroto, juegos y sonrisas.

Para María, Silvia, Paula y Elena. Para Rafa y Carlos. Os quiero.

Montse

En los inmensos misterios del tiempo, la mayor felicidad de la vida es poder atesorar recuerdos mágicos como los vividos con mi marido Kurt, «mi niña Paola», mi ahijado Pablo y sus padres, que permanecerán siempre en mi corazón.

Me hizo mucha ilusión que, con el comienzo de este libro, llegara Renata a la familia como una brisa fresca, con su carita sonrosada y sus ojos enormes con los que observa el mundo que le rodea.

Los recuerdos surgían a borbotones, ya que este año celebro mis veinticinco años en la profesión y no puedo por menos que acordarme de todos vosotros, mamás, papás y cientos de pequeños, entre ellos Gonzalo, Juanma, Javi, María, Lara, Clara, Berenice, Miranda, Jacobo, Jaime, Lucía, Sofía, Camilo y mi ahijada María, en cuyo nacimiento estuve presente, y me invadió una profunda ternura al cogerla la primera vez entre mis brazos. Tal vez algunos de los padres ya sois abuelos... ¿cómo olvidaros?

Me causa un inmenso placer ofreceros un nuevo libro. Seguramente, muchos reconoceréis en estos niños a vuestros pequeños de aquellas épocas lejanas, cuando compartíamos juegos entre risas y charlas sobre dudas, anécdotas y muchas, muchas ilusiones.

Deseo también mencionar a Amador, con quien he compartido largas horas de trabajo. Agradecerle sus estupendas fotos, pero mucho más su ternura, paciencia y saber estar con todos los pequeños. A Chantal, que siempre está ahí cuando necesito un sabio consejo.

A Gabrielle Gross, que abrió una ventana en mi corazón para poder acabar este libro, y a su hija Sarah, quien nos enseñó cómo afrontar las dificultades con valentía y amor.

Elizabeth

Índice

Prólogo

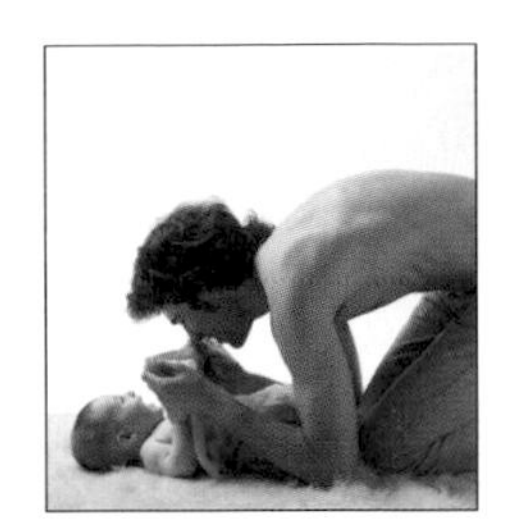

Para que podamos crecer y desarrollarnos es tan necesario el afecto y el amor como el alimento y el aire que respiramos. Tocar, acariciar, mirar a los ojos del niño y tomar contacto con su piel, transmitiéndole nuestro sentimiento, resulta indispensable para su íntegra salud física y mental.

Inicialmente, esa comunicación afectiva ha de ir acompañada de estimulación física, sobre todo de la madre con su hijo (tocarlo, acariciarlo, besarlo). La satisfacción de esta necesidad infantil de estimulación afectiva es posteriormente ampliada, en gran parte, con palabras, sonidos, gestos y expresiones que son una forma simbólica de «acariciar y estimular» y que actúan como soportes físicos de esa energía invisible que llamamos sentimiento.

Al nacer, el sistema nervioso central de un niño no está anatómicamente terminado. Hay miles de vías y conexiones neuronales que no se han desarrollado. La mayoría de ellas se completan en el primer año de vida del niño incorporando, literalmente, en su estructura neuronal el medio ambiente y la estimulación afectiva en la que el niño es criado.

Lo interesante es que, a través de nuestra vida, tendemos de una manera inconsciente a buscar el tipo de estimulación afectiva a la que nos acostumbramos en nuestra infancia, ya sea positiva o negativa. Para lograrlo, o bien permanecemos en nuestro grupo familiar de origen, o bien entramos en relación con personas que nos proveen del mismo tipo de afectos a que nos hemos acostumbrado de niños.

En este ámbito, el trabajo que las autoras realizan, con la experiencia de muchos años, es de una importancia extraordinaria en la estimulación con ejercicios estructurados para el correcto desarrollo neurológico, físico y emocional de los niños en la relación con sus padres. El desarrollo cognitivo, físico y afectivo se ve altamente potenciado por los mismos con la repercusión posterior en la vida adulta.

Deseo que disfruten de estas páginas que nos hablan de cómo mejorar el fascinante desarrollo del ser humano en sus primeros años de vida.

Dr. Ramón Carballo
Médico psiquiatra

Introducción

La mayoría de nosotros hemos olvidado que alguna vez fuimos niños o niñas, cómo jugar y divertirnos, pero nuestros hijos e hijas pueden ayudarnos a recordarlo.

Jugar con ellos, con la alegría y espontaneidad que poseen, te hará ver lo gratificante que es y te ayudará a recuperar la memoria. Un consejo: relájate, olvídate de todo tipo de teorías, ponte una ropa cómoda, colócate a «su altura» y déjate llevar por su juego, fluir con los acontecimientos. Bésalo, «achúchalo», ríe, salta, baila y comunícate con mensajes gestuales y verbales positivos. Ayúdale a desarrollar su autovaloración felicitándole de todo corazón.

Todos deseamos y necesitamos recibir amor, además de darlo, para encontrar la felicidad interior. En el libro intenté ofreceros, de una manera lúdica, el «porqué» de las actividades y no sólo el «cómo», para así no atosigaros con tanta teoría y poder establecer un hilo conductor entre los juegos ofrecidos, abarcando las diferentes áreas del desarrollo del niño en los tres primeros años.

El diseño del libro facilita vuestra incorporación al mundo del pequeño, ya que simplemente tienes que buscar la edad exacta de tu hijo y, como por arte de magia, aparecen cinco juegos, entre los cuales puedes escoger uno o realizarlos todos, según te apetezca. Verás cómo desaparecen las dudas y ansiedades y disfrutáis todos juntos. Si, no obstante, sigues «dándole al coco», recurre a un grupo de juegos donde puedas compartir con otras mamás, papás y niños, de una manera alegre, el crecimiento de tu hijo, encontrando soluciones a tus dudas y sintiéndote arropado.

En la educación de los niños, aunque yo prefiero llamarla formación, es necesario aprender, desde muy pequeñitos, el respeto, la tolerancia y el sentido común. Esto solamente es posible si tienen la oportunidad de estar con sus semejantes en pequeños grupos y adquirir este aprendizaje bajo la atenta y amorosa mirada de sus padres.

Los sentimientos surgen al relacionarse con la gente y, como vivimos en una sociedad el resto de nuestra vida, es fundamental que el pequeño adquiera una adecuada interacción social desde muy temprana edad. De esta manera, podrás recorrer el camino junto a él con más facilidad y resolver los obstáculos con más paciencia y sabiduría.

Cuando comiencen a vislumbrarse los primeros problemas, abórdalos cuando ya hayas tomado una clara conciencia de ellos, comunicando las soluciones con mensajes positivos. No actúes nunca movido por la rabia, el resentimiento o la arrogancia. Si se entrometen las emociones negativas, en lugar de ganar una discusión puede suponer haberla perdido.

Escucha con atención, con distancia y perspectiva. Cada niño es diferente y hay que enseñarles a cooperar más y aprender a comunicarse mejor para así adquirir rasgos como el amor, la compasión, la esperanza, el perdón y la comprensión.

Tenemos que ayudarles para que reconozcan, aprendan y comprendan sus sentimientos, a canalizar los rasgos negativos como el miedo, la rabia, el odio, la violencia y la arrogancia. Los adultos damos muchas vueltas a cómo van a salir las cosas y eso crea una cantidad de ansiedad innecesaria.

Mi deseo con este libro es «aligeraros el equipaje», y os puedo asegurar, por mis veinticinco años de experiencia trabajando con los pequeños, que la mejor manera de guiar a vuestro hijo es compartir su juego con alegría y amor. El juego es el trabajo del niño y, en el futuro, él encontrará su camino si le has ayudado a desarrollar lo más importante que puede poseer un ser humano: la felicidad interior.

En esta nueva edición hemos incluido una sección nueva que nos han solicitado muchas mamás ante la necesidad de evitar los dolores de espalda y cintura mientras están atendiendo al pequeño cada día.

Los primeros tres años del niño se hacen largos y trabajosos si el cuerpo está fatigado, cansado y dolorido. Tantas horas interminables dedicadas a dar calidad de vida al pequeño... y ¿vosotras qué? No debéis quitar calidad a vuestra vida, pues al nacer un bebé también nace una madre. Nada de gimnasia fuerte y exigente; en estos momentos lo que necesitáis es quitar «las pupas» con arte, suavemente y con mimos. Para esto es necesario utilizar una técnica específica de dinámica corporal y estar aconsejada por un profesional en el tema. Tenemos la suerte de contar con la colaboración de Susana Kesselman, psicóloga social, eutonista, miembro honorario de la Sociedad Española de Medicina Psicosomática y autora de varios libros sobre el tema. Después de cada capítulo podréis encontrar sus sabios consejos.

Por otro lado, hemos incluido nuevos juegos musicales en el capítulo del primer año de vida del niño cuya creadora es la compositora Silvia León, quien nos explica con profesionalidad la importancia de la música en la vida de los pequeños inclusive antes de nacer.

Así que os deseamos una feliz lectura con la esperanza de que lo pongáis en práctica y que vuestra vida sea una nueva y excitante aventura.

Elizabeth Fodor
www.efodor.com

Dinámica corporal

El concepto de dinámica corporal está centrado especialmente en el trabajo con el cuerpo y en el camino del desarrollo de la inteligencia sensorial y emocional. Esta actividad es sumamente necesaria y se relaciona con las propuestas que se utilizan en los juegos entre padres y bebés. El cuidado del cuerpo atañe a todos, y en especial a aquellas personas que están largas horas en compañía de niños pequeños.

Sus objetivos son: prevenir y atenuar la fatiga diaria y el estrés, tomar conciencia de cuándo, cuánto y cómo tocar o contactar con el cuerpo del otro e investigar las distintas formas de usar el cuerpo para lograr posturas adecuadas a cada momento.

Las espirales del movimiento son una auténtica invitación para explorar el cuerpo y aprender a jugar con él. Un modo de aprender a pensarlo, a examinarlo sin prejuicios, con vocación de modificarlo. Quizá sólo así se pueda soñarlo, porque soñar el cuerpo es una forma de recrearlo, de quererlo. Aquí valdría la frase de «cuerpo que no se quiere, corazón que no siente» (véase el libro *El pensamiento corporal,* Lumen, 2006).

Un fuerte abrazo.

Susana Kesselman

Juegos musicales

La etapa prenatal, desde la concepción hasta el nacimiento, es una fase esencial en el desarrollo de cualquier ser humano en la que se van a establecer las bases de la estructura física, mental y emocional de cada ser. A partir de una célula, en unos meses se habrán producido sesenta mil millones de células.

La historia nos cuenta que ya en el antiguo Egipto se construían templos dedicados exclusivamente a preparar e iniciar a la mujer que centraban su atención en la madre y su futuro bebé.

«La madre y su criatura son dos cuerpos con una misma alma; las cosas deseadas por la madre a menudo quedan grabadas en el niño que lleva en su seno en el momento de su deseo; una emoción, una alegría, un temor o un dolor que la madre siente tienen mucho más poder sobre el embrión que sobre ella misma...», dijo Leonardo Da Vinci.

Investigadores como Frédéric Leboyer, Alfred Tomatis o Thomas Verry han dado un giro a la ciencia con sus aportaciones a la etapa prenatal.

Uno de los principales cauces de comunicación con el bebé intrauterino es el canto y las experiencias musicales vividas por la madre. A través del sonido, la música y el movimiento, sobre todo del balanceo, se obtendrán diferentes respuestas motrices en función de la intensidad del estímulo sonoro.

La música, en un primer momento, podremos utilizarla para establecer los vínculos afectivos con nuestro bebé. Desde la primera infancia, de 0 a 4 años, debemos comenzar a realizar actividades musicales, independientemente de que se desee o no estudiar música en un futuro, ofreciendo a nuestros hijos los estímulos necesarios.

Las actividades y juegos musicales le van a:

- Favorecer la coordinación motora, la atención y la concentración, el lenguaje verbal, el conocimiento del espacio y del tiempo y la relación tanto social como familiar.
- Consolidar las bases necesarias para el desarrollo del pensamiento simbólico musical.
- Despertar la imaginación, la curiosidad y la creatividad.

Las actividades que descubriréis en este libro os servirán como herramientas clave para vuestras experiencias musicales en familia.

Silvia León
Educadora musical de la primera infancia y asesora del Centro Andares.

Agradecimientos

Queremos dedicar un espacio para aquellas personas que han intervenido en la realización de este libro: María Teresa Beltrán (educadora infantil), Sara Serrano (estudiante de psicología) y Cristina Suñer (educadora infantil), colaboradoras en los grupos de juego, y dar las gracias tanto a Pablo Carballo como a los padres que intervienen cada día en los grupos de juego con sus hijos, que son a su vez alumnos de Andares, Cedam y Little Fem y que voluntariamente acudieron a jugar junto a sus pequeños para la realización de estas fotos como si fuera un día más. Todos estos pequeños, con su espontaneidad, buen humor y alegría, nos hicieron ver que sus vidas son todo un mundo de sonrisas:

Alejandro Andreu, Alina Santos, Carolina Andreu, Carlos Compagni, Carmen Reyzábal,
César Álvarez-Cascos, Daniel García, Daniela Lloves, Elisa Lapastora,
Fernando Lapastora, Iago Negrón, Jaime Pérez, José Juan Guerrero, Juan Ocina,
Laura Gómez, Lior Stofenmacher, Lucía Grande, Marcos García, Marcos Monsalve,
María Blázquez, Mateo López-Nava, Nazareno Jiménez-Zapiola, Olivia Colorado,
Pablo Armenteros, Paula Blázquez, Paula Salazar, Pedro Pérez, Renata Castillo,
Sofía Santos, Telmo Ocina, Yoav Stofenmacher, Valentina Blasberg.

Y Elena Salazar unos días antes de venir al mundo.

El primer año en la vida del niño

Cuando un niño anuncia su llegada, mamá, papá y toda la familia empiezan ilusionados a formar una cantidad de expectativas inimaginables. Desde este mismo momento también comienza un lazo de cariño muy especial que unirá al bebé con mamá y hará un hueco en el corazón de papá y de los abuelos. Ya llegó este momento feliz, ________________ ha nacido el ___/___/___. Era el día más hermoso de vuestras vidas, con su carita sonrosada descansaba en el regazo de mamá y toda la familia reunida observabais este gran milagro: la vida. Todos estabais de acuerdo en que de ahora en adelante le ayudaríais a descubrir el mundo del cual ya formaba parte. Le enseñaríais a ser feliz y a disfrutar de las cosas que le rodean para que le llegue a sonreír la vida.

El bebé, en su primer año de vida, es eminentemente receptivo a todo tipo de sensaciones. Tu estado emocional, el ambiente que le rodea, la manera de cogerlo y acariciarlo y la forma de hablarle. Todo esto influirá de forma determinante a lo largo de su vida. Pero ¿cómo lograr toda esta maravilla que en estos momentos te parece tan complicado por lo agobiada que te sientes en estos primeros meses? Es muy sencillo: simplemente jugando. Aprende nuevamente a jugar junto a tu pequeño y disfrutar con él. Crecer juntos. El juego será su principal actividad, a la que debe dedicarse durante sus primeros años de vida; gracias a ello se desarrollará en todas las áreas para que su crecimiento sea completo y armónico.

El juego es tan importante como su alimentación. «¿Alimentar al niño? Sí, pero no solamente con leche. Hay que tomarlo en brazos. Hay que acariciarlo. Hay que hablar a la piel del pequeño, hay que hablarle a su espalda, que tiene sed y hambre, igual que su vientre» (Dr. F. Leboyer).

De 0 a 6 meses

El juego más importante son las caricias y el contacto corporal con mamá. Un cuerpo cálido y amoroso, su principal sostén y seguridad y el mayor «objeto de deseo» en su nueva vida. Háblale mucho, fomenta la comunicación, la visión, la audición y el tacto a través de los juegos que te proponemos en este libro. La información cognitiva la obtendrá a través de las sensaciones táctiles, visuales, auditivas, olfativas y gustativas. Esta etapa se caracteriza por el despertar de los sentidos (véase *Todo un mundo de sensaciones,* Ediciones Pirámide). Verás cómo tu pequeño poco a poco, además de mirar, comenzará también a coger los objetos que le ofreces. Se moverá cada vez más si tiene la posibilidad de estar sobre una manta en el suelo y, así, de girar y cambiar de postura; en una palabra: de moverse en libertad. Jugar frente al espejo con gestos, aplausos, risas y canciones le ayudará a adquirir el lenguaje, y así obtendrás una excelente comunicación con él.

De 6 a 12 meses

En poco tiempo, aprenderá a arrastrarse, gatear, sentarse, ponerse de pie y andar. El juego de gateo es un ejercicio fundamental, no sólo para adquirir una buena coordinación entre brazos y piernas, sino para ejercitar conjuntamente los dos hemisferios cerebrales. Los hemisferios intercambian información para coordinar la misma acción (véase *Todo un mundo por descubrir,* Ediciones Pirámide). También ayudará al desarrollo de su personalidad al poder alejarse y acercarse a las personas y a los objetos según su propia decisión; comienza así una forma de independencia rudimentaria. Así será más llevadero el momento de separarse de mamá (que se produce entre los 8 y los 18 meses). En este momento es cuando se hace patente la desconfianza del bebé hacia los extraños. Este saber separarse de mamá influirá más adelante en otros aspectos de su vida: saber relacionarse con los demás, tener confianza y fortaleza ante las inevitables frustraciones de la vida y establecer relaciones estables. También te ofrecemos muchos juegos de manualidades que incidirán positivamente en el desarrollo de la inteligencia. Observar y manipular libros con imágenes, escuchar y fomentar a través de canciones los diferentes ritmos transformando así la actividad en juegos de risas y buen humor que ayudarán positivamente a la adquisición del lenguaje.

Esta etapa se caracteriza por el despertar de los sentidos (véase *Todo un mundo de sensaciones,* Ediciones Pirámide). Verás cómo tu pequeño poco a poco, además de mirar, comenzará también a coger los objetos que le ofreces.

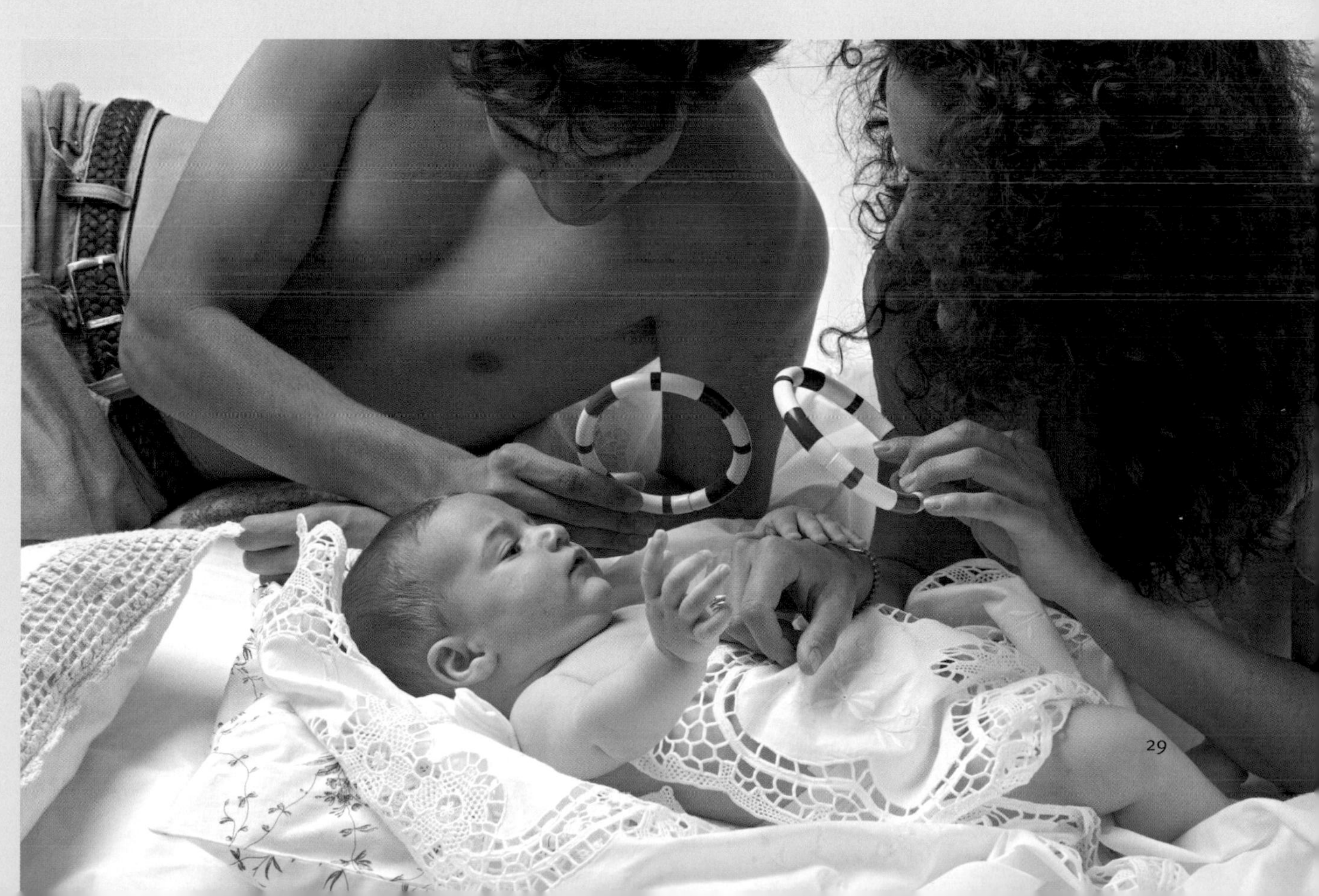

Mamá se cuida

El cuerpo de la mamá durante el primer año del bebé

Hola, soy tu cuerpo

En este cuerpo actual no reconoces ni el cuerpo previo al embarazo ni tu cuerpo de embarazada. Es lógico. Durante el embarazo, tu cuerpo cambiaba paulatinamente y te daba tiempo para adaptar la postura a las nuevas formas que ibas adquiriendo. Además, con el bebé en tu interior, no importaba cuánto crecía tu cintura. Tal vez fantasees con volver a tener la figura que tenías antes de embarazarte. Esta idea, tan arraigada en la mayoría de las mujeres, podría privarte de la oportunidad que significa el posparto para dar nacimiento a un nuevo proyecto corporal. El cuerpo perdido es como el tiempo perdido: cuanto más lo buscas, más lo pierdes. Este de ahora es un nuevo cuerpo, un cuerpo que todavía no imaginas cuánta potencia alberga y capaz de sorprenderte con sensaciones inéditas. En principio, estarás más sensible porque tu bebé te convertirá en una investigadora de tus propias sensaciones. Al observarlo a él, aprenderás a observarte a ti misma, él te llevará a estar más conectada con lo que sientes, y este registro sensible te permitirá actuar de otra manera, de un modo más sabio en la crianza. Al estimular a tu bebé tienes la posibilidad de tu propia estimulación; al relajarlo, la de tu propia relajación. Como tu bebé, tú también tienes derecho a descubrir el mundo con ojos renovados.

Anímate a experimentar con tu cuerpo

La mamá de un bebé recién nacido con frecuencia considera que ocuparse de sí misma es restarle atención a su bebé. ¿Tú también lo crees? Por el contrario, parte del equilibrio emocional y personal de una mamá reciente depende del contacto inmediato que haga con su propio cuerpo, y es este mismo contacto el que le permitirá estar más perceptiva a las demandas de su bebé. Cuando me refiero a contactar con el propio cuerpo, aludo al desarrollo de una actitud lúdica, de una disposición a experimentar corporalmente. Quizá creas que esta propuesta implica grandes esfuerzos, obligaciones, un trabajo que se agrega a tu dietario, lleno de tareas maternales. Sin embargo, es tan natural que tal vez lo estés practicando sin saberlo. La idea es que seas consciente de ello.

Estimula tu piel como estimulas la piel de tu bebé

Vuelve sobre las páginas que preceden a éstas, aunque ya hayas pasado por ellas varias veces. Allí encontrarás sugerencias para trabajar con tu bebé. ¿Has intentado probar sobre tu cuerpo algunas de ellas? La inteligencia «sensorial» depende en gran medida del desarrollo de la sensibilidad de la piel. Has observado que en este primer año de vida de tu bebé las autoras del libro le dan gran importancia a la estimulación de la piel, a las sensaciones. La piel es un órgano, el más superficial y el más profundo. Al estimular la piel, estimulas el sistema nervioso, algo que no sólo tu bebé necesita estimular sino tú también. Te sugiero que tomes algunas propuestas que se dan en esta primera parte del libro para trabajarlas sobre ti misma, sola o con tu pareja. Vosotros necesitaréis volver a presentaros en esta etapa. Aprende de tu pequeño. Observa cómo disfruta de los juegos «Qué placer de cosquillas» y «Tirando del hilo», entre otros, y disfruta con tu pareja del placer que supone que te acaricien a ti también.

a. **Sueloterapia.** Para obtener una puesta a punto del cuerpo en cualquier momento del día, te propongo un trabajo muy sencillo: recuéstate en el suelo «de espaldas», «boca arriba» o en «decúbito dorsal» —cualquiera de estas denominaciones significa lo mismo— de quince a veinte minutos aproximadamente. Si te incomoda recostarte así, prueba otras posturas. Utilizo el término «sueloterapia» para indicar el rol terapéutico del suelo para el conjunto del cuerpo, tanto para conectar con las sensaciones superficiales y profundas como para descansar. El cuerpo así recostado, con las piernas flexionadas o extendidas, según te sea más cómodo, decanta su peso, afloja tensiones en músculos que ahora no precisan sostenerte ni sostener a nadie. Este trabajo, bueno para cualquier ser humano, es especial para mamás que amamantan. Prueba a poner tus manos debajo de tu pelvis, en un lugar que te resulte agradable —una mano sobre la otra o al lado de la otra—; ésta es una manera de sensibilizar tus manos para tocar tanto tu cuerpo como el de tu bebé. Al recostarte en el suelo, tal vez notes el cansancio de la espalda, los hombros, los brazos, la cintura, las piernas y otras zonas. El cuerpo te reclama una tregua. El suelo es generoso y no te pedirá nada a cambio, algo que en esta época de exigencias es ideal para ti. Puedes realizar tu «terapia del suelo» varias veces al día. Tu pareja también puede beneficiarse con este trabajo. Después podéis compartir las sensaciones con las que os conectasteis ambos. Los quehaceres suelen distraer de las sensaciones, y estos quince o veinte minutos en el suelo te ofrecerán el escenario ideal para registrarlas. La «sueloterapia» puede ser útil para las abuelas que se quejan de molestias en la espalda o en la cintura, especialmente cuando levantan a sus nietos.

b. **Consignas para la «sueloterapia».** ¿Qué «hacer» cuando te recuestas en el suelo? El trabajo que te propongo para tener un cuerpo más sensible es el de prestar atención a algunos datos que pueden pasarte inadvertidos. ¿Estás cómoda? ¿Harías algún movimiento que pueda mejorar tu estado en esta posición? ¿Cuáles son las primeras sensaciones que te aparecen? Trata de conectarte no sólo con las molestas sino también con las agradables. ¿Registras los toques del suelo sobre el cuerpo? Cáptalo con detalle en cada zona. ¿Y los del cuerpo sobre el suelo? Detente en esto el tiempo que necesites. ¿Notas las huellas que deja tu cuerpo allí? Pregúntate si no estás haciendo una fuerza exagerada cuando apoyas tu cabeza en el suelo. ¿Podrías estar más suave en ese toque? Pregúntate lo mismo de tu espalda, de tus hombros, de tus brazos, de tus manos, de tu cintura, de tu pelvis, de tus piernas, hasta llegar a los pies. ¿Eres capaz de estar más suave en todos los toques entre tu cuerpo y el suelo? ¿Notas algunos esfuerzos que podrías dejar de hacer? Pregúntaselo al gesto de tu cara, a tu frente, al entrecejo, alrededor de los ojos, en la boca, en las mandíbulas, alrededor del cuello. Recorre con esa pregunta otras zonas. Intenta registrar las temperaturas a lo largo y ancho de tu cuerpo. Registra también los roces de la ropa, los efectos sobre tu cuerpo de las distintas texturas de las telas. ¿Tienes conciencia del contorno de tu cuerpo?, ¿dónde es más clara?, ¿dónde se te pierde? Teniendo en cuenta esta sensación de contorno, ¿qué percibes como interioridad y qué como exterioridad?

c. **Pintar las manos y los pies con una pelotita de tenis.** En cualquier postura cómoda prueba a hacer rodar una pelotita de tenis sobre las manos como si estuvieras pintando la piel. Te diré un secreto: conviene estimular un rato largo una sola mano, la derecha por ejemplo, luego hacer una pausa y comparar la mano estimulada con la que no lo ha sido. Si no lo haces así, te privarás del dato más importante de este trabajo, que no sólo es la estimulación de la piel sino el desarrollo de tu sensibilidad. Cuando comparas la mano «pintada» con la que no lo fue, podrás detectar los efectos que tuvo sobre ti este trabajo, y entonces podrás repetir esta estimulación cada vez que la necesites. Reemplaza la palabra mano por la palabra pie, y realiza un trabajo similar al que hiciste sobre tus manos. Disfruta como tu pequeño lo hace cuando le «dices con caricias» cuánto le quieres (ver la página 37).

d. **Objetos para sensibilizar tu cuerpo.** Los objetos con los que estimulas la piel de tu bebé tienen variadas texturas: puedes probarlos en tu propio cuerpo. Frotarte con una pelotita de tenis puede se distinto que frotarte con una pelota de goma, con una madeja de lana o con un globo. No es ni mejor ni peor, cada textura puede ser beneficiosa en diferentes momentos. Puedes probarlo en tus pies, en la pelvis, en las manos, en tu cara, alrededor de las costillas e intercambiar con tu pareja masajes en la espalda recordando que siempre es bueno trabajar un solo lado primero, hacer una pausa y luego comparar un lado con el otro antes de continuar. La sensibilización en pareja, la posibilidad de experimentar juntos, es de suma importancia en las distintas etapas de la crianza. Estos trabajos de sensibilización con objetos es bueno realizarlos lentamente y a través de la ropa, que debería ser de textura suave. No olvides que la ropa es considerada una segunda piel, y trabajar a través de ella incrementa la sensibilidad. No quiere decir que no debes actuar sobre la piel directamente. Prueba de las dos formas y elige. Juega con la madeja de lana con tu pequeño (ver la página 72).

e. **Carga y descarga a través de pequeñas pelotas y globos.** Recostada en el suelo, puedes poner pequeñas pelotas —de tenis, de goma, de tela— debajo de tu cuerpo. Utiliza primero una y orienta tu atención hacia ella; permanece un lapso de tiempo concentrada en esa pelotita y en sus efectos sobre tu cuerpo y zonas aledañas. Luego utiliza otra pelotita colocada de modo simétrico a la primera. Deja que tu atención se oriente hacia ella y luego hacia la otra y finalmente hacia las dos pelotitas. No sólo se trata de desarrollar tu sensibilidad, sino de aprender a concentrarte, de educar tu atención. Pruébalo en zonas que no te resulten molestas. Poco a poco podrás usar estas pelotitas en zonas donde registras tensión o cansancio. Puedes utilizar un globo, el mismo que usas con tu bebé, para ponerlo debajo de tu espalda, de tu pelvis, de tu cabeza. ¿Crees que un globo no resistirá el peso de tu cuerpo? Pruébalo y te sorprenderás. Estos objetos actúan como intermediarios para relajarte o tonificarte. Comprueba sus efectos cada vez. Cuando te concentras en la reacción del cuerpo al toque del objeto, por lo general el objeto actúa como estimulante; cuando te conectas con el suelo que está por debajo del objeto, es posible que el objeto te ayude a descargar una tensión.

f. **Un globo sobre tu vientre.** En otro momento te preocuparás de tus abdominales de otros modos, pero ahora te propongo un contacto sensible con la zona que habitó tu bebé. Ponte un globo sobre el vientre y las manos sobre él. Trata de captar la distancia desde tus manos a tu cuerpo y viceversa. Presta atención al movimiento respiratorio que te llega a través del globo hacia tus manos, luego hunde un poco tus manos sobre el globo y cuando dejes de presionar observa cómo el globo recupera su tamaño y tus manos se expanden con él. Luego haz esto mismo sobre tu vientre pero sin el globo.

g. **Trabajo en pareja: movimientos de la ropa sobre el cuerpo.** Un trabajo ideal para realizar en pareja es el de deslizar la ropa sobre la piel. Comprobaréis el bienestar que despierta esta sutil sensibilización. Una de las dos personas, aquella sobre la cual se va a realizar el trabajo, se recuesta en el suelo en una posición cómoda y la otra permanece sentada a su lado. Si ejercitas el rol activo, puedes comenzar, por ejemplo, desde la punta de una manga y verás que tus manos serán movidas por el estímulo de la tela, de los pliegues y de las formas del cuerpo hacia otros lugares. También desliza la tela de la falda o del pantalón por la piel de las piernas, y mueve la tela de los calcetines, etcétera. No necesitas más de diez o quince minutos. Es una manera de registrar partes del cuerpo que no tocas de modo directo, de aprender a tocar y de sentir a distancia. Una importante habilidad a desarrollar.

h. **Baño de sensibilización.** Para finalizar comienza desperezándote con pequeños movimientos. Trata de desperezar desde la lengua hasta los dedos del pie. Todo el cuerpo. Recuerda que desperezarse es el estiramiento más espontáneo que puede realizar un cuerpo. Desperézate con música si quieres y descubrirás la danza de tu piel, la elasticidad, la sensibilidad, la continuidad de tu piel. Hazlo en pareja y verás que podréis encontrar una piel común que os abarque a ambos. La conciencia de la piel es un eslabón más dentro del desarrollo de la conciencia corporal global, y la puerta de entrada para un mundo que te deparará muchas sorpresas.

Tu bebé de un mes

1 ¡Gugu, ta-ta!

Aprender a imitar las muecas de mamá será fundamental en el futuro para reconocer las diferentes emociones y estimular el lenguaje.

La facultad de hablar es exclusiva del ser humano y forma parte de la inteligencia. Desde el primer día la transmisión del afecto a través del tacto y las palabras se convertirá en la clave para la adquisición del lenguaje.

¡Habla a tu pequeño!

Es más importante el tono y la melodía con los que le hablas que lo que realmente dices. El bebé puede localizar la fuente de sonido y tratará de girar su carita hacia ella.

En otro momento, colocándote frente a él, intenta contactar con el pequeño sin hacer ningún ruido, sólo mirándole a los ojos. Entonces saca la lengua y espera un poco: observarás cómo tu bebé intenta imitarte y saca ligeramente la punta de su lengua. Luego puedes abrir y cerrar mucho la boca o bien sonreírle exageradamente.

Díselo con caricias

2

Hay niños que desde el nacimiento son despiertos y responden a las sonrisas y caricias de los padres. Otros, en cambio, tardan un poco más en mostrar curiosidad por el mundo que les rodea. Pero todos tienen hambre de calor maternal; por eso es tan importante estrechar los lazos afectivos a través de las caricias.

Los niños muy pequeños enfocan todas sus tensiones sobre los pies; por eso nada mejor que darle un pequeño masaje en la planta de sus pequeños piececitos. Toma una pelota pequeña y suave y pásasela desde el talón hacia los dedos y viceversa. También puedes masajear todo su cuerpecito. Coloca las manos sobre el pecho del bebé y describe una espiral desde el centro hacia fuera acariciando todo el cuerpo. Ahora sujeta con tus dos manos el hombro del bebé y baja delicadamente, como exprimiendo una naranja, hasta la manita. Haz lo mismo con las piernas bajando desde las caderas hasta los pies. Coloca al bebé boca abajo y comienza acariciarle desde los omóplatos bajando por toda la espalda hasta los tobillos, con una mano detrás de la otra como si fuesen las olas del mar que suben y bajan.

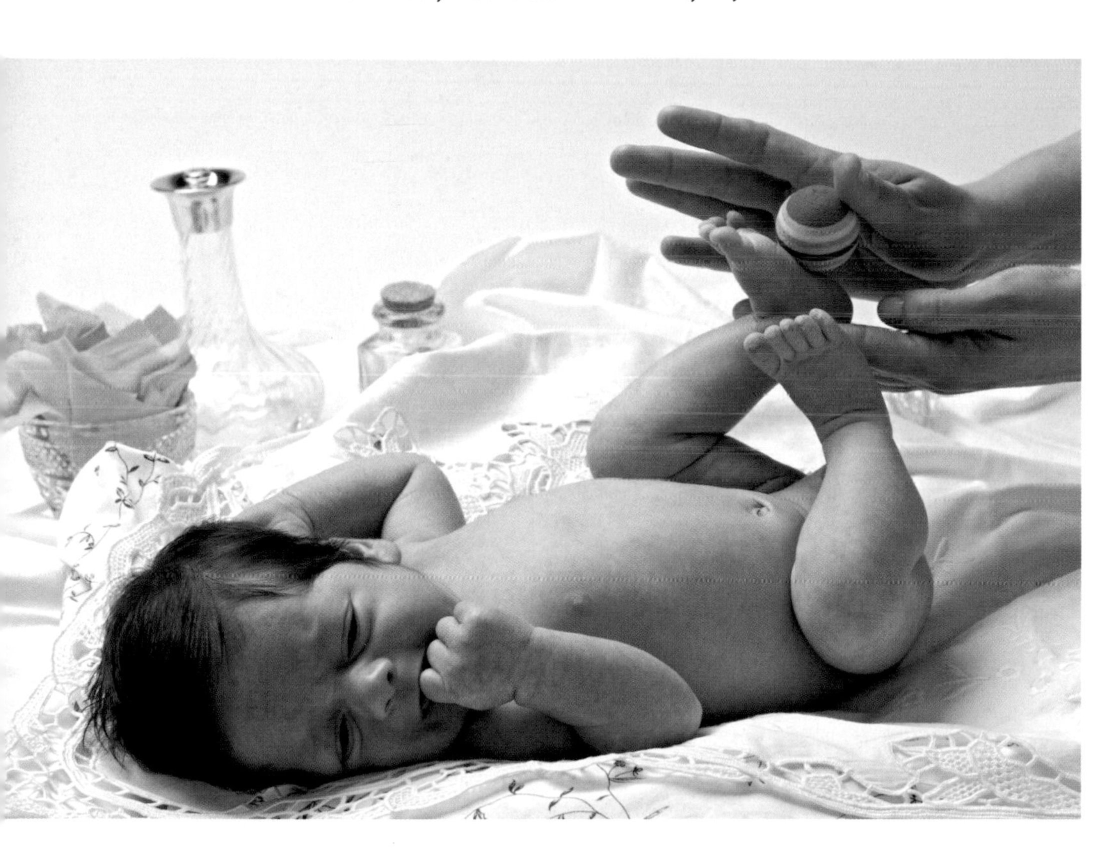

Los masajes estimulan el sistema inmunológico del bebé y le protegen de las enfermedades, además de que le hacen sentir valioso y querido.

Me lo paso bomba

El desarrollo del niño pequeño es global: cuando estimulamos un sentido, estamos estimulando todos los demás. Con ello, favorecemos su desarrollo integral. Con este juego sentirás que los dos os divertís y que entre vosotros comienza una comunicación entrañable, profunda, nueva para ti. Sujeta al bebé con las dos manos y comienza a mecerle con movimientos amplios, como un barco que se bambolea con las olas del mar: hacia un lado y hacia el otro. El recorrido es cada vez más amplio; supón que eres un columpio que aumenta su aceleración suavemente hasta que el bebé se encuentra en posición vertical.

Mantén en esta posición al pequeño unos segundos; esto le ayudará a ver el mundo desde otra perspectiva.

Mano de santo para los cólicos

4

Nada más nacer, el bebé vive una profunda sensación de soledad. «¿Dónde estoy?», se pregunta. Nota de repente la fuerza de la gravedad que lo empuja contra la cuna. Su piel, tan delicada, siente el roce de la ropita y el pañal. Sus pulmones comienzan a funcionar regularmente. Donde él vivía antes de nacer no existían las sensaciones desagradables: el frío, el hambre, la sed, el miedo... los cólicos. Cuando tu bebé esté incómodo por esto último intenta relajarte, coloca al niño boca abajo y con tu mano recoge su tripita masajeándola suavemente a la vez que lo meces y agitas lentamente como una botella hacia arriba y abajo.

5 La boca, su tercer ojo

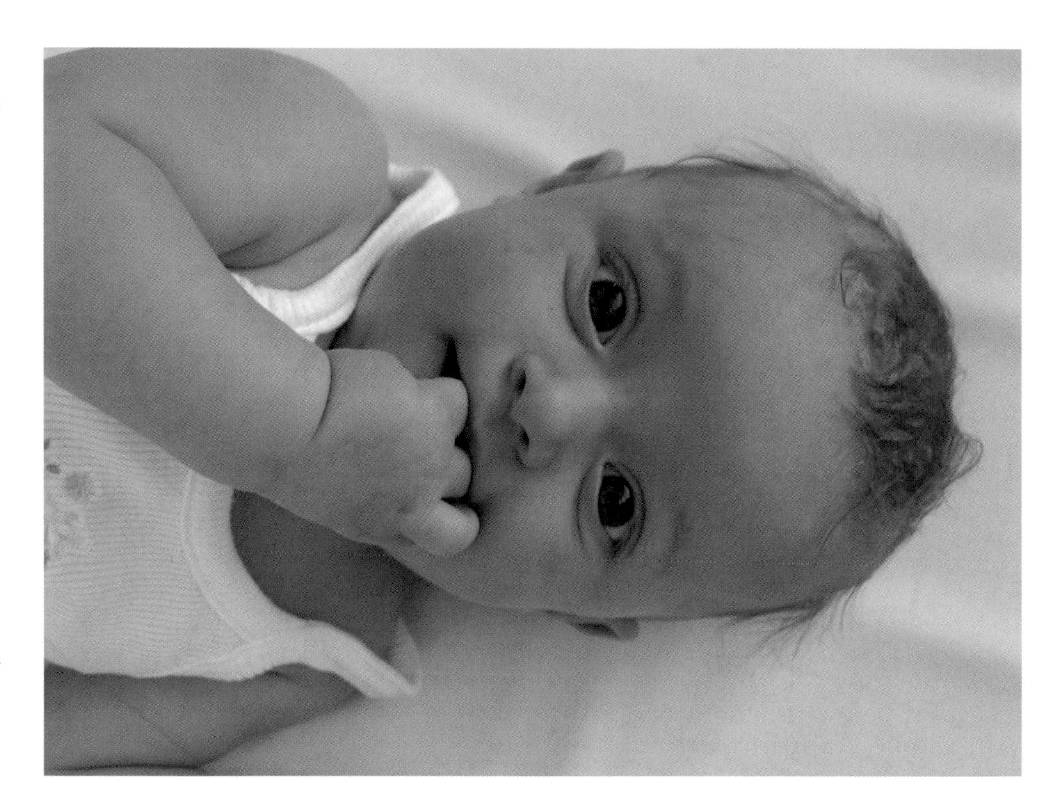

Chupar calma su ansiedad y le relaja en los momentos de estrés.

Existe la creencia de que no es bueno que los bebés chupen objetos o se chupen las manos. Nada más lejos de la realidad.

El bebé es primordialmente un ser oral, es decir, la boca le sirve para reconocer los objetos. Desconoce las cualidades de las cosas. No tiene todavía conocimiento de qué cosas son duras, blandas, frías..., y necesita obtener toda esta información.

De momento, los sentidos del gusto y del tacto están muy desarrollados.
Toca las cosas y se las lleva a la boca. Las chupa y obtiene el conocimiento del mundo que lo rodea. Hemos observado niños mayores a los que no se les proporcionaron en el momento adecuado objetos para chupar y que eternamente tienen que tocar todo para conocer mejor sus cualidades. Los ojos son altamente eficaces y discriminatorios.

Una nana de amor

6

El sentido auditivo está considerado como uno de los primeros en desarrollarse dentro del vientre materno. A su vez, es el único medio que permite conectar al bebé con el exterior y es el que más puede llegar a estimularse.

Si se utiliza el canto durante los cuatro primeros meses de gestación, se contribuye a que el bebé reciba las vibraciones sonoras a través de las terminaciones nerviosas de la piel de la madre. A partir del quinto mes, el bebé recibirá estas vibraciones a través de la conducción ósea materna, traspasando la pared abdominal y la uterina y llegando hasta el líquido amniótico en forma de ondas.

La voz cantada adquiere un sentido muy importante en la comunicación con vuestro hijo. Recibid a vuestro bebé con las canciones que ya le habéis enseñado: os sorprenderá su satisfacción.

Uno de los mejores regalos que los padres pueden hacer a su recién nacido es cantar.

Tu bebé de dos meses

1 Silencio: bebé pensando

Desde los primeros meses es bueno despertar el interés del bebé hacia alguna situación determinada. Cuando captamos la atención del bebé, le enseñamos a concentrarse, una función clave en el proceso intelectual que estimula la formación de circuitos neuronales más complejos y hace que una misma neurona pertenezca a varios circuitos. Utiliza las fichas en blanco y negro (véase *Todo un mundo de sensaciones,* Ediciones Pirámide) presentándoselas al niño frente a su cara a unos 30 cm durante unos segundos, hasta que pierda interés. Cambia entonces a otra ficha, que siempre ha de ser en blanco y negro.

¿Por qué en blanco y negro?
Porque hasta los tres meses, el contraste entre dos colores claro/oscuro es lo que mejor ve; por eso el blanco y el negro llaman poderosamente su atención.

Márcate un baile

Gracias a este juego el bebé comienza a descubrir su entorno; por eso es muy importante ayudarle a desarrollar sus sentidos.

Hablar, cantar o bailar con el bebé son actividades con las que descubre su entorno y se siente a gusto. Este juego favorece la maduración del sistema vestibular (responsable del sentido del equilibrio) y fortalece la memoria, debido a los movimientos de balanceo. Mientras bailas acompasadamente, el bebé cambia de perspectiva visual, y los diferentes estímulos que se le muestran sirven para mantener su atención. Cógelo en brazos, de manera que su carita mire sobre tu hombro. El padre se sitúa detrás de ti y le muestra al niño diferentes juguetes, mientras tú comienzas a moverte lentamente al compás de un vals que puedes tararear suavemente.

3 Con mis manitas

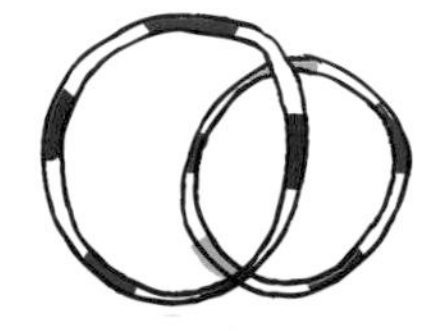

Los estímulos forman una globalidad: los objetos que se ven tienen distintos sonidos y sabores. Es necesario que el bebé experimente con varios sentidos a la vez. Así, fomentamos la riqueza de experiencias. Con el bebé tumbado, enséñale algún objeto que suene para que lo siga visual y auditivamente; luego prueba con uno que no tenga ruido. A partir de esta edad comienza a mantener más tiempo abiertas las manos que durante el primer mes de vida, y con frecuencia el dedo pulgar sale fuera de la palma. Puedes colocarle en una de sus manos un sonajero, unas anillas o, en su defecto, «las pulseras de mamá». Primero se lo pones en una manita y luego se lo pasas a la otra. Para enriquecer más sus experiencias, en otro momento puedes colocarle unos patucos con cascabeles y así podrás observar cómo agita sus manitas.

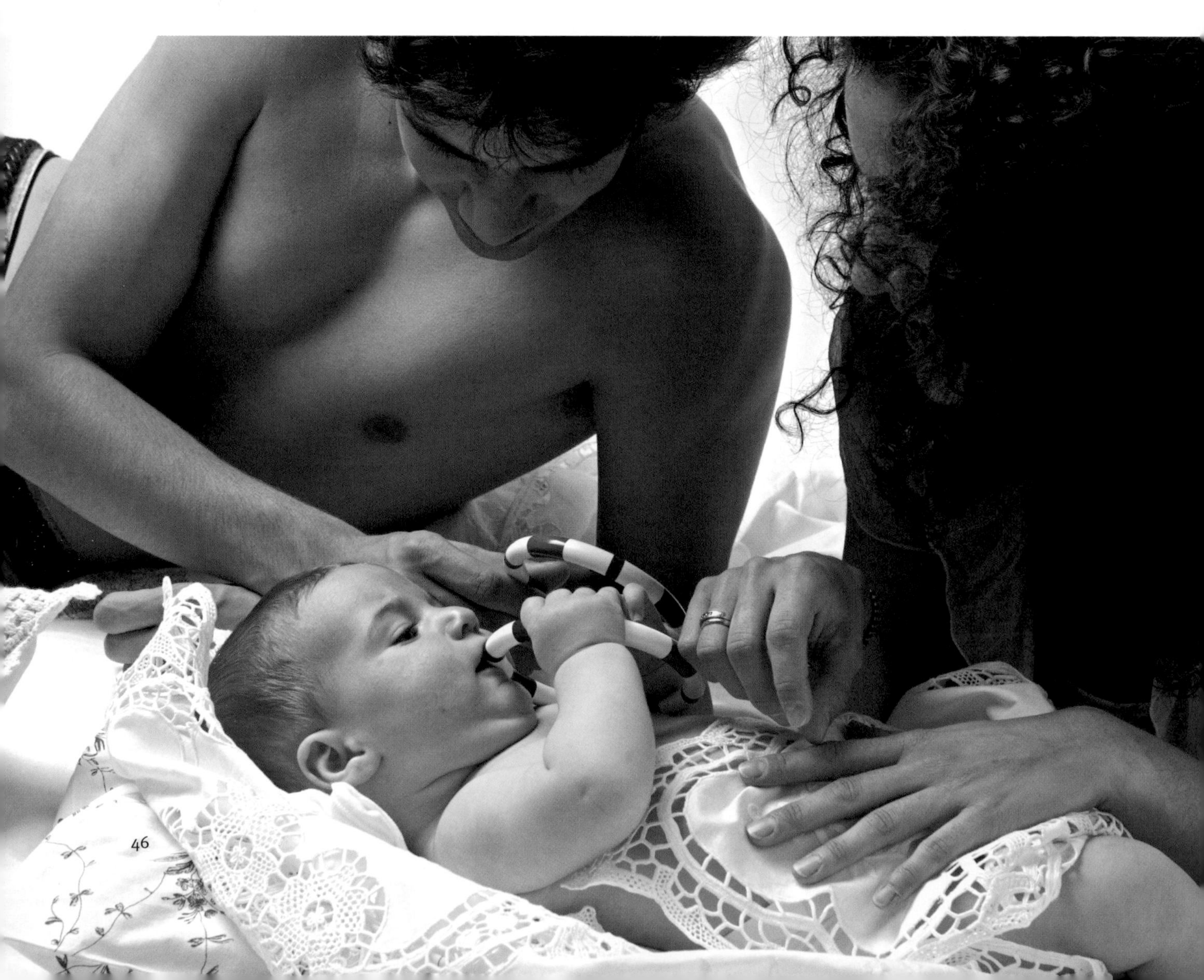

Cántame, papá

4

Los primeros sonidos que los niños perciben en el vientre de la madre son, entre otros, los latidos del corazón de ésta. Estos sonidos son rítmicos y acompasados. Por tanto, si quieres llamar la atención de tu pequeño con un sonajero golpea éste rítmicamente y él tratará de localizar la fuente del sonido moviendo sus ojos e incluso girando su cabecita. Luego háblale mirándole a los ojos; cambia después el tono de la voz, pero recuerda que sea melódica y suave. Puedes canturrearle alguna canción infantil o hacerle gorgoritos mientras le meces suavemente con tus piernas. Si intenta emitir algún gorjeo, tú le debes contestar procurando imitar su mismo sonido. Él se sentirá sorprendido y volverá a tratar de producir más ruiditos. Estáis empezando a conversar, y él se siente feliz y comprendido, expresando con su carita y sus ojitos cuánto le agrada su nueva relación con mamá y papá.

5 Me troncho de risa

Recuerda no zarandear el bebé, pues es perjudicial para su bienestar.

No hay nada mejor para tu bebé que jugar, reír y disfrutar con tu compañía. Reír con él le da salud y hace que la vida merezca la pena sólo por esos ratos en los que los dos reís a carcajadas. Agarra a tu hijo con firmeza por la mitad del cuerpo y acércalo y aléjalo suavemente de tu cara siempre sonriente.

Al bebé le gustará mirarte, y poco a poco, según vaya creciendo, irá imitándote y se reirá. Disfruta de esos momentos de soledad junto a tu pequeño: son imprescindibles para su desarrollo emocional. Además, te ayudará a sobrellevar esos momentos en que te encuentras cansada, incluso agotada.

Bailando solito

Un estímulo muy gratificante para vuestro bebé consiste en colocar en sus patucos unos cascabeles cosidos de manera que éstos suenen con el movimiento de sus piernas al dar patadas. De esta forma, él entenderá que su acción es recompensada con el sonido del cascabel permitiéndole descubrir que dispone de un cierto poder sobre el medio que le rodea. Con este ejercicio ayudas a que tu pequeño aprenda a conocer su propio cuerpo, a controlar el mundo que le rodea y a situarse en el espacio.

Puedes cantar una canción en la que haya momentos de silencio. En este espacio de tiempo estimula a tu pequeño para que mueva sus piernecitas y suenen los cascabeles. Continúa cantando y repite los momentos de silencio. Espera unos segundos para que se produzca alguna intervención. Lo ideal sería repetir el mismo ejercicio durante días consecutivos manteniendo la continuidad para que se convierta en una experiencia cotidiana. Ya veréis como paulatinamente tu pequeño responderá en los momentos en los que se interrumpe el canto.

Tu bebé de tres meses

1 Danzando con mis papás

No hay nada tan placentero como el cuerpo y el olor de mamá. Con movimientos rítmicos, balancea el cuerpo al son de una música suave y melodiosa. Seguir el compás favorece la maduración del sistema vestibular, responsable del equilibrio; además, el cuerpo a cuerpo, piel con piel de mamá proporciona una profunda y placentera seguridad. En este juego papá también participa y de esta manera se refuerza la comunicación y el cariño de toda la familia.

En caso de que tengas otros niños, podéis hacerlo entre todos. La figura paterna es muy importante en la vida del pequeño, pues le ofrece una imagen sólida y tranquilizadora. Asegúrate de que la espalda del bebé esté apoyada sobre tu cuerpo. Puedes agarrarlo por debajo de las axilas o con una sola mano pero abarcando todo su cuerpecito. Balancéate suavemente hacia un lado y el otro ayudándote con el movimiento de tus piernas.

Qué placer de cosquillas

Cuando un niño está en la incubadora, los pediatras aconsejan que los padres no sólo vayan a verlo, sino que lo acaricien y lo toquen, pues los pequeños se desarrollan mejor y ganan peso más deprisa. Después de sus ojos, será su piel el sentido que más información proporcione a su cerebro siempre y cuando utilicemos los objetos adecuados, como una brocha de maquillaje, plumas, guantes de baño, esponjas... Acaricia su cuerpecito, sus extremidades, los pies y las manos sin olvidarte de pasar entre sus deditos haciéndole cosquillitas. Verás cómo disfruta regalándote su mejor sonrisa. La riqueza de la estimulación cutánea es fundamental en una buena integración de la percepción sensorial.

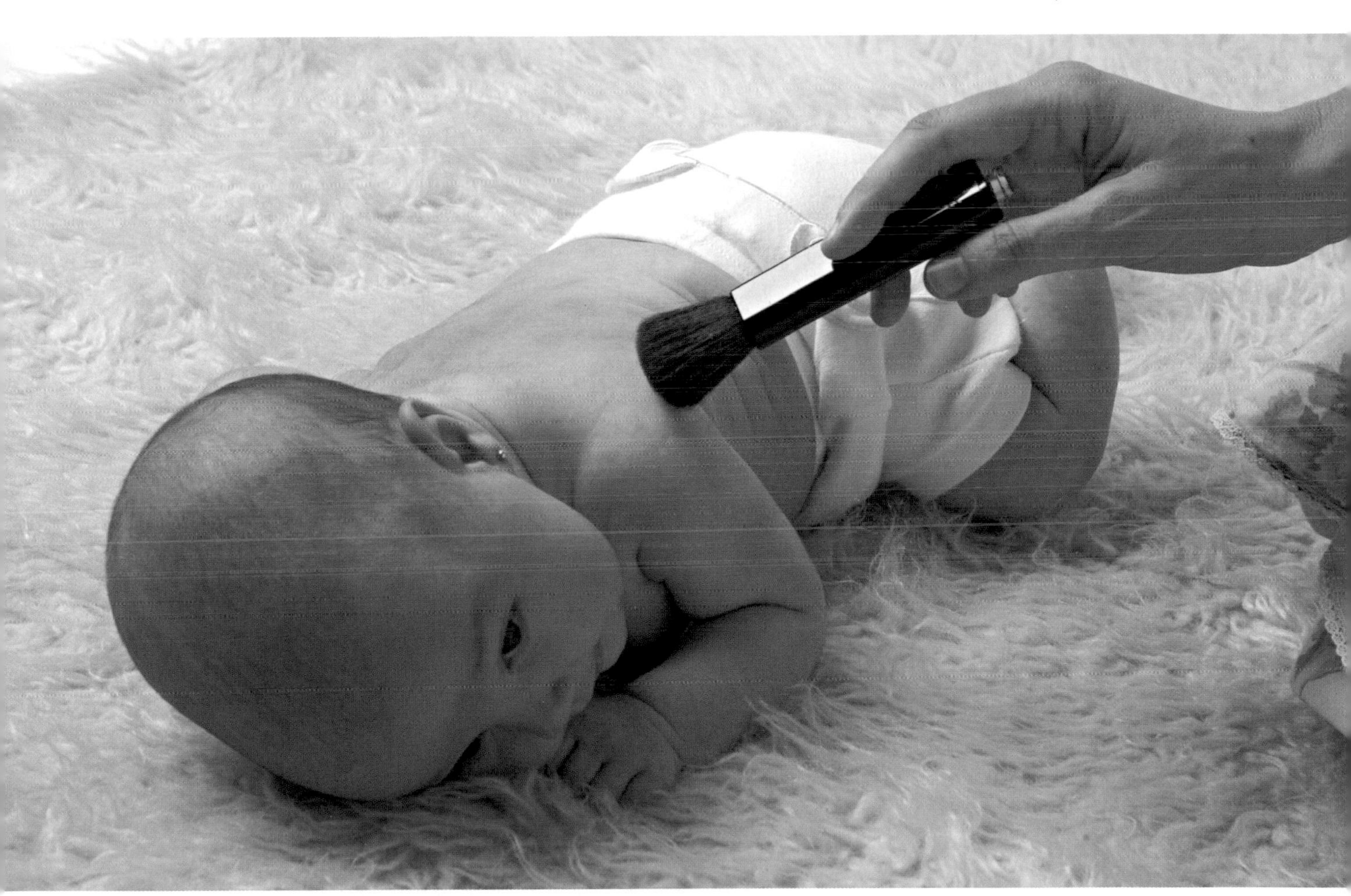

Un barquito para mi chiquitito

A tu bebé le gustan especialmente los juegos que se realizan sobre tu cuerpo. Cuando tu bebé está más inquieto, realiza este ejercicio que os servirá a los dos para relajaros juntos. Siéntate en el suelo o sobre la cama con las piernas cruzadas. Coloca al pequeño en el hueco que queda con su espalda pegadita a tu cuerpo. Levanta suavemente una rodilla y después la otra de forma que te muevas como un barquito sobre las olas del mar en calma. Además, inventa una cancioncita o unos pequeños versos como:

En un botecito, voy a navegar. Despacito, despacito, en un botecito va a llegar.

Cuando has terminado de cantar, inspiras muy despacito y espiras, cogiendo el aire por la nariz y expulsándolo por la boca. Realízalo dos veces seguidas. Puedes ejecutar el ejercicio dos o tres veces. Después del juego intenta bajar el ritmo de las actividades que realices con él.

A vueltas con la vida

4

Darse la vuelta es el primer paso para llegar a gatear. Tu hijo todavía es pequeño, pero le puedes ir enseñando a cambiar de posición (de boca arriba a boca abajo). Sujeta al niño por los tobillos. Comienza a moverlo ligeramente hacia un lado y hacia el otro. Entonces crúzale una pierna sobre la otra y tira suavemente hasta que el bebé ruede sobre el costado quedando boca abajo. Una vez en esta postura, sus bracitos habrán quedado doblados bajo su cuerpo. Acomódaselos agarrándolo desde los hombros y llevándoselos a su posición natural, es decir, un poco flexionados hacia delante. En esta posición, inicia unas caricias suaves por la espalda con toda la palma de la mano desde el cuello hasta el coxis. Después de unos segunditos le vuelves a colocar boca arriba de forma tradicional.

Háblale y dile: «Muy bien, lo haces estupendamente», o cualquier cosa que se te ocurra para animarle a conseguir sus pequeños logros.

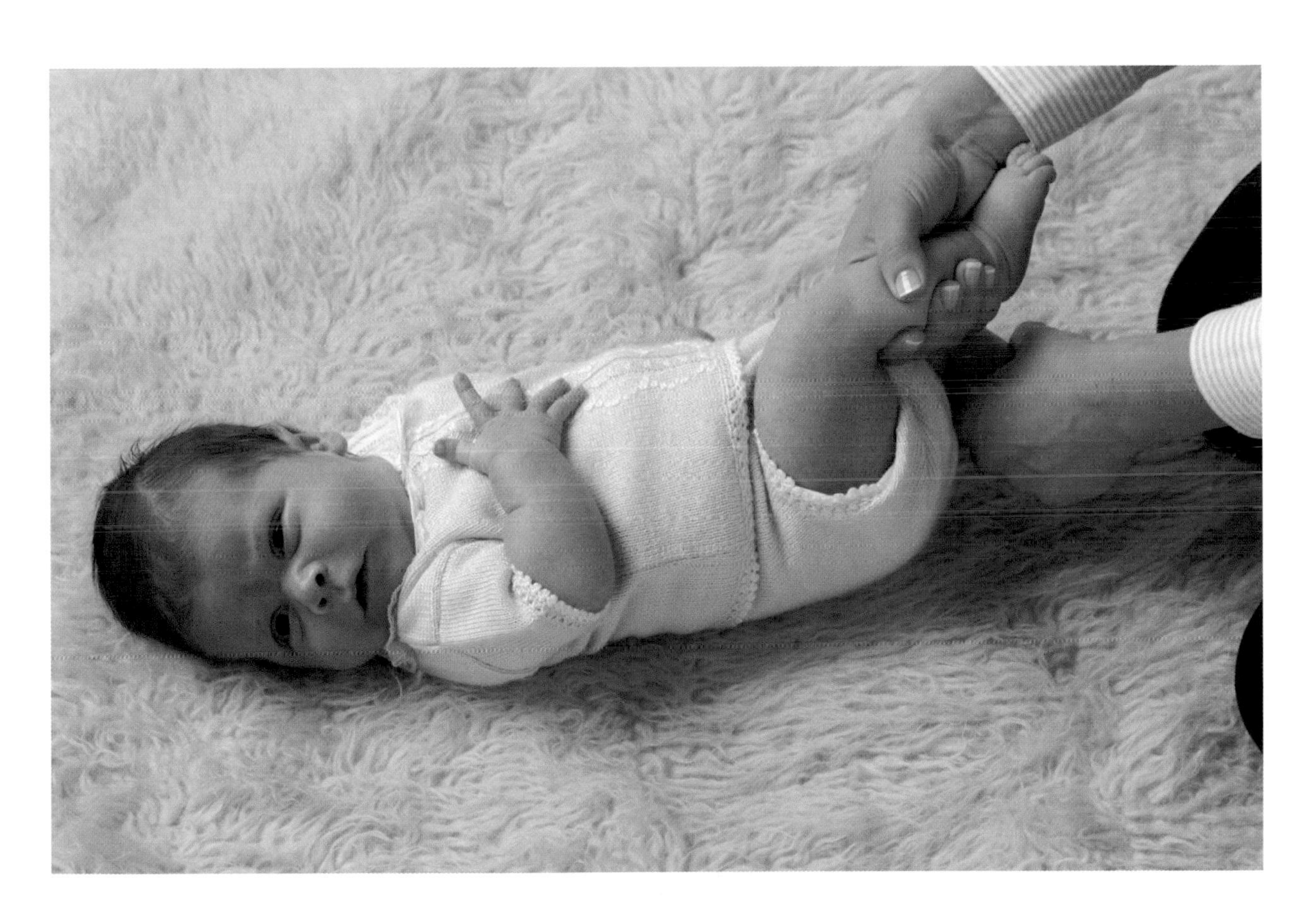

En volandas

Mecer a los bebés es un instinto tan primitivo que cualquiera que tiene un pequeño entre sus brazos tiende a moverse de un lado a otro acunándolo.

En este juego te proponemos que balancees a tu hijo de una forma diferente y divertida especialmente para él. Sostén al bebé por el culete con una de tus manos y con la otra sujétale entre los hombros, el cuello y la cabeza, como indica la foto. Sepáralo de tu cuerpo y muy despacito, como a cámara lenta, balancéale de un lado a otro. Al principio el movimiento debe ser muy sutil, pero poco a poco lo irás ampliando hasta que el bebé esté casi en posición vertical.

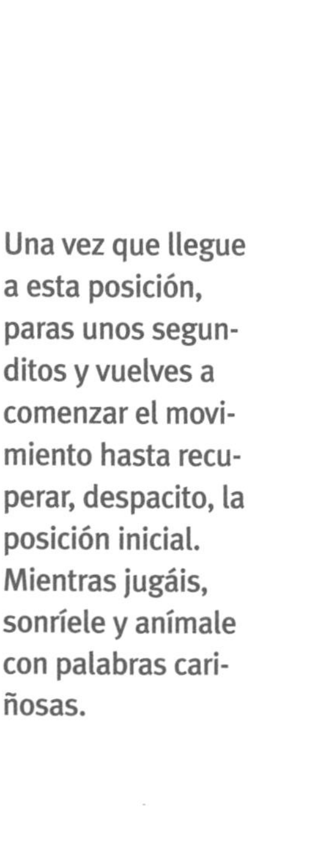

Una vez que llegue a esta posición, paras unos segunditos y vuelves a comenzar el movimiento hasta recuperar, despacito, la posición inicial. Mientras jugáis, sonríele y anímale con palabras cariñosas.

Suaves campanitas sonarán

6

Entre el segundo y tercer mes de vida, el bebé mantiene la atención sobre un objeto sonoro o instrumento musical si se le muestra y se le toca al mismo tiempo. Esta atención se va alargando de manera progresiva.

Debemos tener en cuenta que el oído derecho es más sensible que el izquierdo durante los tres primeros meses de vida, ya que la parte derecha del cuerpo envía mensajes más rápidos al hemisferio izquierdo del cerebro reaccionando antes al contacto, a los sonidos y a los estímulos visuales por el lado derecho, independientemente de que más tarde el bebé resulte diestro o zurdo.

Presenta a tu bebé un sonajero por el lado derecho para captar su atención. Sacúdelo haciéndolo sonar e inicia un movimiento lento hacia la izquierda. Repite el ejercicio empezando esta vez por el lado izquierdo. Puedes variar la intensidad del sonido creando diferentes matices, unas veces más fuerte y otras más suave.

Con este juego buscará la fuente del sonido.

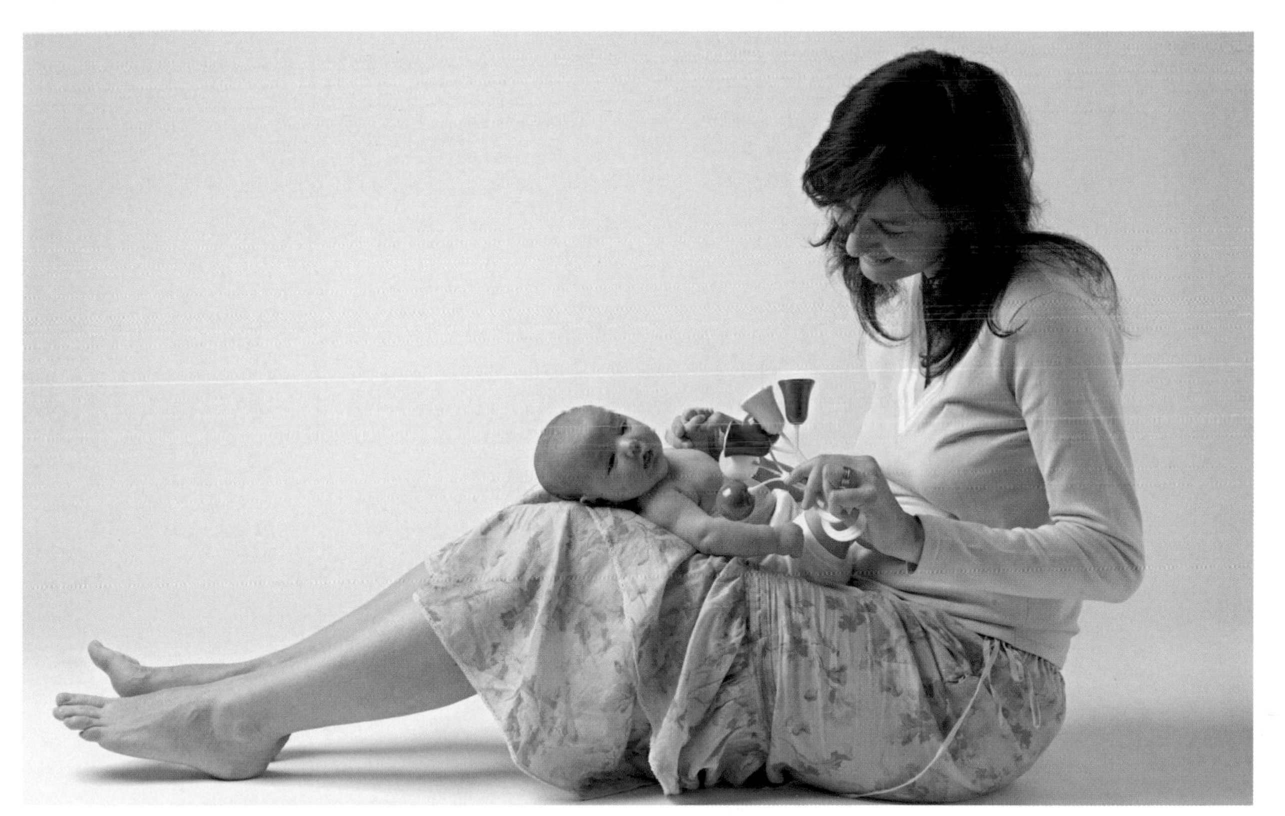

Tu bebé de cuatro meses

1 Una gaviota de altos vuelos

Ahora el bebé reclama un compañero de juegos y pide que jueguen con él, pues cada día pasa más tiempo despierto. El siguiente juego es una buena opción para arrancarle sus primeras risas. Coge al bebé con las dos manos y muévelo suavemente hacia arriba, abajo, derecha e izquierda con movimientos armónicos de poca amplitud y cara a cara frente a ti. Ofrécele la mejor de tus sonrisas mientras le cantas la canción, y así él tiene la posibilidad de imitarte.

Puedes fabricar una gaviota de papel para mostrársela al bebé haciendo como si volara al soplarla y de paso puedes realizar suaves soplidos en su tripita y bracitos.

Había una vez
una gaviota
(mueve al bebé hacia los lados)
que a la playa
quería llegar
(mueve al bebé hacia los lados)
y subía y bajaba
(mueve al bebé hacia arriba y abajo)
y a la playa
quería llegar
(mueve al bebé hacia los lados).

La pelota voladora

2

MES 4

El bebé necesita moverse para comenzar a descubrir su cuerpo; por eso, cuando lo desnudas, sus brazos y pies se agitan y patalean con más fuerza, favoreciendo el movimiento espontáneo y natural. Así tendrá oportunidad para moverse en libertad y experimentar con todos aquellos juguetes que le acerquemos. Esto será fundamental en el despertar de su inteligencia, su estabilidad afectiva y su coordinación motora. Respeta el ritmo de desarrollo del pequeño y elogia todos sus avances; así reforzarás su autoestima. Túmbalo boca arriba y acerca una pelota a sus manos y pies para que pueda tocarla. El balón se desplaza y el bebé lo sigue con la vista. Expresa tu alegría. De esta forma, ayudas en la comunicación no verbal y el bebé se sentirá comprendido.

¿Te atreves con los abdominales?

La rutina en los acontecimientos cotidianos ayuda al bebé a conocer el entorno y las costumbres del hogar. Antes o después del baño, cuando lo tienes desnudito en el cambiador, puedes incorporar los abdominales como una rutina divertida. Para los niños pequeños la rutina es importante, pues les permite prever lo que vendrá después y poner orden en sus vidas.

Tumbado boca arriba junto a ti, coloca unas pulseras o haz que agarre tus dedos con sus manitas. Trata de llevarle a la posición sentado. Luego, baja muy despacito para que sus músculos abdominales trabajen quedándose otra vez en la posición inicial. Repítelo tres veces. Este juego fortalece brazos y tripita; es muy recomendable para los bebés que vomitan con facilidad.

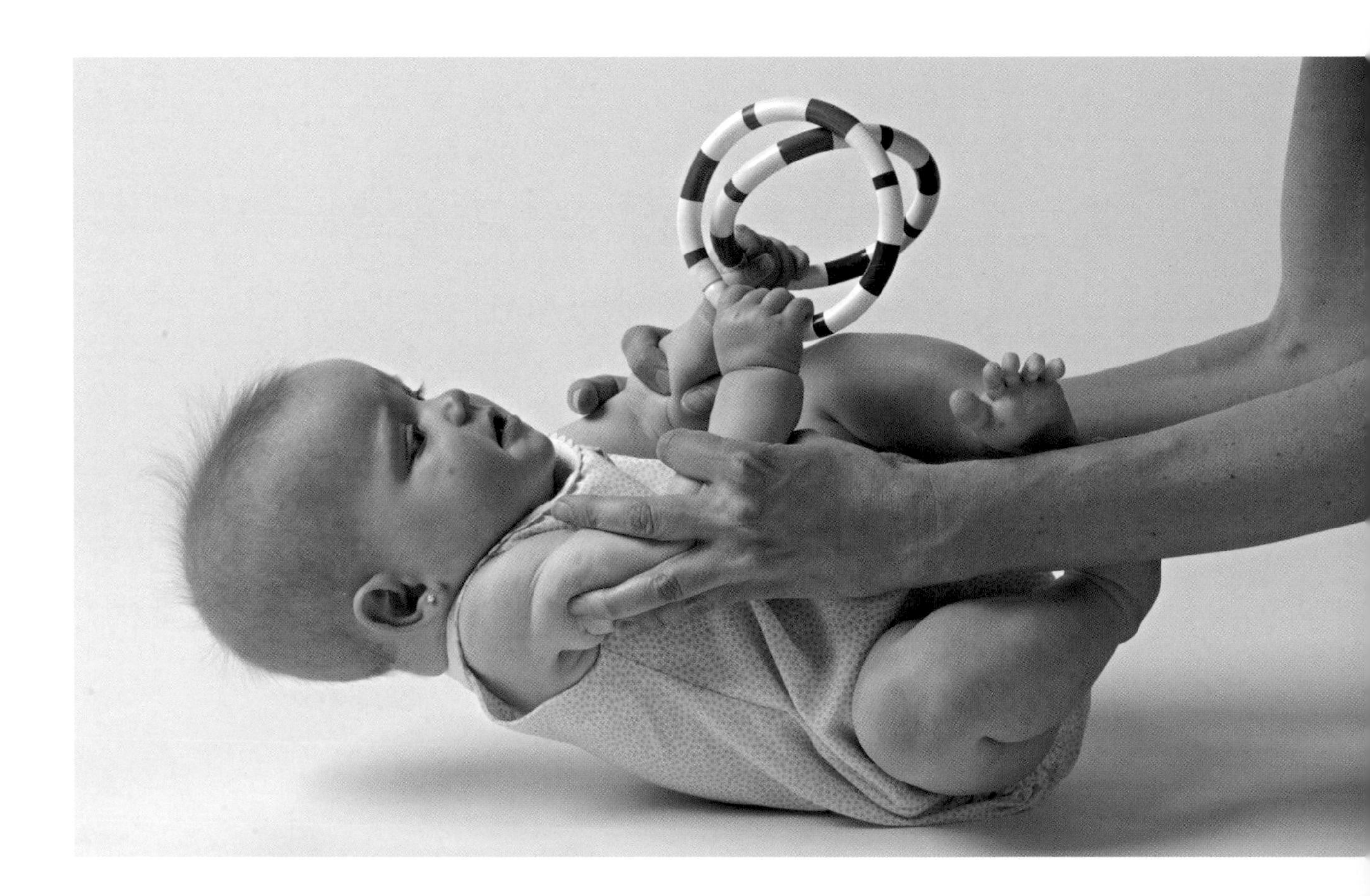

Atrápalo si puedes

4

MES 4

Tu pequeño necesita descubrir paso a paso su propio cuerpo, tomar contacto con él. Es importante que descubra primero su hombro, luego, su brazo, y después su mano. Desde el centro del cuerpo hacia fuera. El niño es capaz de acercar la mano a un objeto siguiendo una dirección determinada. Abre y cierra la manita a su voluntad. La atención y el interés por lo que le rodea son funciones mentales. Éstas, unidas a sus funciones motrices y sensoriales, desempeñan un papel decisivo en esta etapa y en el desarrollo de su inteligencia.
Muéstrale un sonajero por detrás para que lo atrape. Luego ofréceselo por el costado y de frente. Así conseguirás que el bebé utilice sus brazos, no sólo sus manos, y realizará movimientos que no hace habitualmente.

Mientras realiza este juego, aprovecha para sentarlo sobre un balón de playa; así le resultará más ameno.

5 Díselo con caricias

Tocar, palpar y sujetar se va convirtiendo poco a poco en su centro de interés. Tu bebé disfruta mucho jugando con sus manos. Son sus herramientas de trabajo. Mediante la manipulación, podrá identificar los objetos que se le muestran. Tócale y acarícale los deditos uno por uno: eso le ayudará a pensar y obtendrá nuevas informaciones para registrar.

Cuelga en una cinta una caja pequeña que pueda coger con sus manitas (de un perfume o una crema). Hazle unos agujeros por donde se puedan colar sus deditos. Puedes colocar encima de la caja y atado con la cinta un cascabel para que suene. Ofrécele este objeto a tu hijo cuando esté tumbado boca arriba. Primero se lo puedes dar en una mano, luego acercárselo a la otra y por último frente a su carita para que junte las manos en el centro.

Cántame, mamá

El niño distingue desde muy pronto la voz humana y la prefiere a otros sonidos. La prosodia exagerada y la creación de un diálogo de preguntas repetitivas harán feliz a vuestro bebé obteniendo respuesta desde muy temprana edad.

Durante los primeros meses, tu pequeño es muy sensible a la intensidad y timbre de la voz y prefiere los sonidos agudos a los graves.

Podéis utilizar vuestra voz para contar cuentos y dichos, para recitar poesías y retahílas, para cantar canciones y jugar: con las manos y los dedos, para hacer cosquillas, para trotar y balancear, para recorrer distintas partes del cuerpo, para acunar y dormir. Él te lo agradecerá, a la vez que le trasmitirás seguridad.

Las actividades y los juegos a través del canto se guardarán en la memoria de vuestro pequeño y, llegado el momento, le servirán para el desarrollo de la capacidad de abstracción y adquisición del lenguaje, para favorecer su atención y disciplina y para la construcción del pensamiento simbólico musical.

Comunícate con él repitiendo sus ruiditos y balbuceos.

Tu bebé de cinco meses

1 Un guante de cascabeles

Tu bebé ya tiene cinco meses y le fascinan sus manos y agarrar con ellas todo lo que puede alcanzar. Comienza la oposición del pulgar y utiliza la palma, el pulgar y los dedos. Cambia sus juguetes de una mano a otra. Coge con una mano y se ayuda con la contraria. Lleva la mano hacia un objeto voluntariamente. Puedes observar grandes logros con sus manitas especialmente en el desarrollo visomotor.

Un simple guante da mucho juego para sacarle partido si le coses divertidos cascabeles en los dedos. Ofrécele tu mano al bebé por el centro y deja que agarre tus dedos. Luego puedes enseñárselo por un ladito y después por el otro. Tu mano puede volar de un lado a otro unas veces haciendo ruido y otras en silencio, alejándote y acercándote a su tripita; así podrás oír reír a carcajadas a tu pequeño.

El desarrollo de la inteligencia del niño se observa en la forma que tiene de utilizar sus manos. Existe una relación estrecha entre el desarrollo manipulativo y el intelectual.

Toca, toca

2

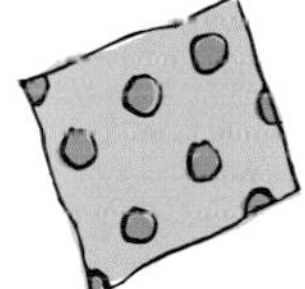

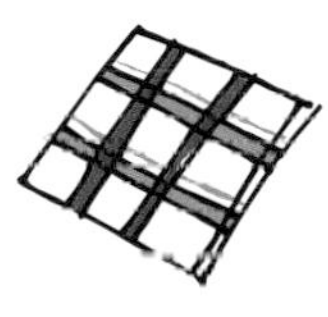

En este momento sus manos son lo más importante y aprende a diferenciarlas de los demás objetos, pues mientras toca, agarra y manipula los objetos su cabecita trabaja velozmente. Realizar este juego es un buen truco para que desarrolle una adecuada percepción a través del tacto logrando así la integración sensorial.
Proporciónale diferentes tipos de texturas: papel pinocho (arrugadito), charol (brillante), celofán (transparente), de regalo (con dibujitos) y para los más inquietos papel de seda suave y finito; también ofrécele diferentes telas: de pana, fieltro, algodón, lana... El contacto directo con diferentes materiales es una buena manera de desarrollar su sensibilidad táctil. Este juego hay que hacerlo bajo la tierna mirada de papá o mamá, nunca dejarlo solo. Coloca al niño boca abajo y ofrécele los papeles y telas de uno en uno; cuando ya no le interese el que tiene, se lo cambias por otro.

Al jugar con el sentido del tacto, utiliza todos los demás (vista oído, gusto y olfato) que más adelante tendrá que combinar.

3

Bailar a su aire

Los pies realizan una función diaria importantísima, pero no siempre les concedemos la atención que se merecen. Todos los bebés disfrutan pataleando descalzos y moviendo los dedos a su antojo. Si a esta actividad que tanto le gusta a tu bebé le unes otra que conlleve la utilización de sus manitas, le resultará el juego más divertido del mundo. Sus manos y piernas se mueven y adoptan diferentes posiciones; se enriquece al mismo tiempo el control de las extremidades superiores e inferiores. Incorporamos un elemento entretenido, muy simple en cuanto a su forma pero plenamente eficaz. Se trata de una goma redonda de 25 cm de las que se utilizan para la olla a presión, que emplearás para las manos, y de otra goma que se usa para proteger las tuberías, de 50 cm, y que servirá para los pies. Pon música alegre y sigue el movimiento que tu hijo realice con los pies dejándole bailar a su aire.

Tu bebé estará bien preparado en el momento de iniciar el gateo, ya que dominará sus cuatro extremidades a la vez y así controlará sus movimientos.

No dejes nunca el bebé solo con las gomas.

Sobre el rulo volaré

4

Los movimientos corporales realizados por el bebé con la ayuda de sus padres generan diversión y alegría. Para eso nada mejor que un rulo hinchable de colorines. Puedes acunar al bebé hacia delante y detrás colocando algún juguete frente a él; cuando el niño se encuentre en horizontal con respecto al rulo, para un momento y observa cómo mueve sus piernecitas y sus bracitos.

Estos movimientos son necesarios para el inicio del gateo y para que sienta pasar el movimiento a través de su centro de gravedad desde los hombros hacia las rodillas y viceversa. Recuerda acomodar al bebé sobre el rulo con la espalda y caderas rectas y la cabeza en línea media (no conviene que esté inclinada hacia un lado). Festeja con asombro y palabras tiernas sus grandes logros.

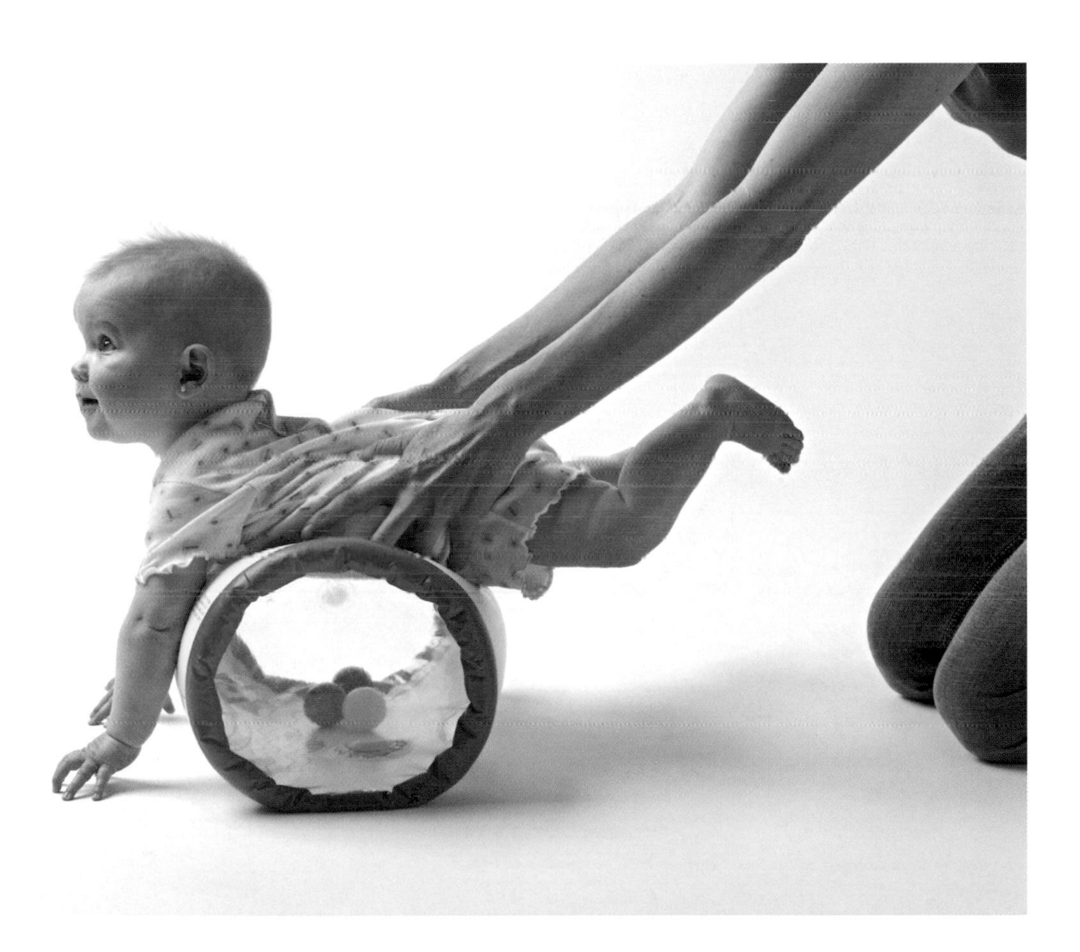

5

Tirando del hilo

Los bebés pequeñitos sienten curiosidad por todo aquello que sus madres les muestran, ya que para ellos hay todo un mundo que no conocen con nuevas sensaciones por descubrir. Sus manitas se han convertido a los cinco meses en unos instrumentos indispensables para conocer el mundo que le rodea y las estira para alcanzar todo aquello que está relativamente cerca. Ahora que trabajan tan bien las dos juntas es el momento de agarrarlo todo e investigarlo. Toma una madeja de lana o de hilo de algodón y ofrécesela a tu pequeño para que la agarre. Deja que los hilos se cuelen en sus deditos y que mueva las manos y las abra y cierre a su antojo.

El trabajo con los dedos es indispensable para el desarrollo de su inteligencia.

La hamaca de la alegría

6

A través del balanceo y de los movimientos pendulares, tu pequeño desarrollará una progresiva sincronización con la pulsación que escucha. Al mismo tiempo, es importante que el bebé vivencie los diferentes movimientos para contribuir a su aprendizaje motriz y favorecer el control de su futura coordinación motora.

Podéis experimentar con ellos distintos tipos de movimiento.

Los movimientos giratorios o en círculos se realizan al bailar lentamente con el bebé cualquier música o canción.

Los movimientos lineales son variados, como coger al bebé en brazos y llevarlo de arriba abajo, de delante atrás sentados en una mecedora con él encima o bien de un lado a otro con un movimiento lento utilizando una tela para formar una hamaca, como os proponemos en esta actividad.
El balanceo es un movimiento que les aporta tranquilidad, seguridad y confianza.
Añadir el canto de una nana acompañando vuestro movimiento.

Durante el primer año se construye el núcleo del comportamiento rítmico.

Tu bebé de seis meses

1 Mi primer juego de escondite

Desde muy pequeñito, puedes comenzar a jugar al escondite con tu bebé; además, si lo realizas despacito y con suavidad, tu pequeño te responderá con gorjeos y sonrisas al principio para, poco a poco, terminar riendo a carcajadas. Coge un balón colorido y grande y cuando el niño te mire escóndete despacito detrás de él. En dos segundos reapareces sonriendo, dices «aquí estoy», retiras la pelota y le das un besito en su tripita. Muy despacito te vas escondiendo de nuevo tras el balón. Poco a poco, con el paso de los días, puedes ir tardando más en aparecer. Este juego podrás realizarlo incluso con el bebé más grande, pues potencia la capacidad innata de reírse que los niños tienen; además comenzaréis a practicar para cuando llegue el momento de superar la etapa de separación.

Prueba superada

2

Los padres creativos educan niños creativos. No necesitas gran cosa: basta con una pelota de las que vienen envueltas en una red. Con tu bebé tumbado boca arriba juega a mover la pelota hacia los lados para que la siga con la vista. Seguramente el pequeño con su sonrisa y los brazos estirados te pedirá que se la entregues; ahora que agarra con soltura un objeto se divertirá si le dejas alcanzar la pelota y le ofreces la red para que se cuele entre sus deditos. Una vez que se haga con la pelota, es probable que la pase de una mano a la otra, e incluso se le puede enganchar en los deditos de los pies; déjale que invente qué hacer con la pelota siempre bajo tu atenta mirada. Al mover sus bracitos, la pelota también lo hará, y poco a poco se animará a moverlos con mayor frecuencia. Al sujetar la pelota por sí mismo la sentirá más pesada y eso le facilitará el aprendizaje de los movimientos de los brazos hacia arriba, por encima de su cabeza, hacia los lados y hacia abajo. Poco a poco este juego le animará a levantar las piernas y a jugar con los brazos y piernas a la vez. No dejes nunca al bebé solo con este juguete. Festeja todos sus logros, pues todo esto contribuye a desarrollar su autoestima y tu reconocimiento le hará sentirse valorado y querido.

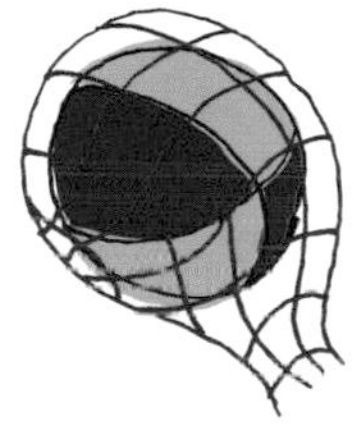

3 ¡Mira qué sorpresa!

En esta etapa se inicia el proceso de socialización del niño. Éste es un juego muy sencillo y eficaz que enriquece la capacidad de concentración del bebé. El movimiento corporal equilibrado y armónico, un buen enfoque visual y el correcto funcionamiento de la coordinación visomotora ayudarán al bebé en su desarrollo integral.
Muéstrale su imagen en el espejo a unos 25 cm de distancia y espera unos segundos para que mire al bebé que se refleja. Él no se reconoce todavía, pero le encanta descubrir a otro bebé que le mira y le sonríe.
Luego te alejas y acercas despacito para estimular su enfoque visual. Si tu pequeño parlotea, le contestas fomentando así sus balbuceos. El juego consiste en aparecer y desaparecer a la vez que le dices cucú-tras.
Es muy importante en el desarrollo de su personalidad en las próximas etapas.
El bebé te descubrirá en el espejo y te mirará y sonreirá.

Tal vez quiera besar y chupará al bebé que tiene frente a él en el espejo; déjale, pues le sirve para darse cuenta de que no está ahí realmente.

¿Dónde está el bebé?

4

En este momento tu hijo pasa más tiempo despierto y muestra mayor interés por todo lo que lo rodea. Es un buen momento para jugar con él y despertar su curiosidad y sus ganas de aprender. Ofrécele un pequeño espejito especial para bebés y observa qué hace con él. Si ves que abre sus ojos al mirar el espejo y agita levemente su cuerpecito, significa que ha localizado su imagen y ha quedado gratamente sorprendido. La actividad de seguir la imagen reflejada en el espejo aumentará su atención, y la capacidad de fijar la mirada y el control de sus bracitos, además, le ayudarán a relacionarse con su entorno. Puedes coger tú misma el espejo y moverlo suavemente mientras el niño se mira, sonríe y produce ruiditos moviendo sus manos y piernas; de esta manera establecéis una profunda comunicación, necesaria en su futura vida social.

El parque de atracciones

Podrás comprobar que hay juegos que a los niños les divierten especialmente. Usar el cuerpo de papá o mamá como columpio, apoyo o cobijo les entusiasma, pues no hay nada en este mundo más agradable que esto.

Es un ejercicio muy completo al ser tan entretenido; no será extraño que terminéis todos riendo a carcajadas. Túmbate boca arriba sobre la cama o el suelo y encoge las piernas formando un ángulo de 90º con respecto a tu cuerpo. Sobre tus dos tibias, recuesta al niño boca abajo mirando hacia tu cara. Mueve las piernas acercándolas y alejándolas de tu cara. Luego recoge al bebé con tus manos y siéntalo sobre tus rodillas. Sin soltarlo, súbelo y suavemente haz que haga cuclillas sobre tu tripa. Luego lo sientas apoyando su espalda en tus piernas y te balanceas subiendo y bajando tu cuerpo como si fuera una hamaca.

Amigos al son de la música

Crear juegos y pasar tiempo con los más pequeños es una buena forma de demostrarles cariño y atención, a la vez que favorecéis el despertar de sus sentidos y de sus destrezas básicas.

Si a las actividades motoras y visuales le agregáis la posibilidad de trabajar con el sentido auditivo, las enriquecéis aún más.

Puedes utilizar globos de diferentes tamaños y colores a la vez que colocas uno o varios cascabeles dentro de ellos. De esta forma tu pequeño se sentirá atraído no sólo por el color o el tamaño del globo, sino también por los sonidos que éste emite.

Puedes asociar el tamaño con la intensidad del sonido: globo pequeño, un cascabel, y obtendrás menos sonido. Globo grande, tres o más cascabeles, y sonará más intensamente.

A partir de esta idea... ¡crea con ellos!

Tu bebé de siete meses

1

La carretilla

La realidad es que los niños necesitan moverse, ejercitar y fortalecer sus músculos; practicando sus destrezas motoras, hacen un despliegue de energía tal que muchas veces los padres se preguntan: «¿No se cansa nunca este niño?». Los juegos de movimiento son precisos para ejercitar nuestros sentidos y nuestro cuerpo. El niño experimentará placer y asombro al descubrir por azar los movimientos de su cuerpo. Los repetirá y practicará una y otra vez hasta incorporarlos. Si tu bebé se hace el remolón a la hora de gatear, puedes echarle una mano con este juego.

Eleva ligeramente al niño con una mano, de modo que sujetes su cuerpo en la parte de las caderas y que permanezca apoyado sobre sus manitas. Cuando sus brazos aguanten su peso y coloque las rodillas debajo de su tripita, comenzará el balanceo, que es el paso previo al gateo. Pronto será un ¡campeón de gateo!

La mariquita bonita

2

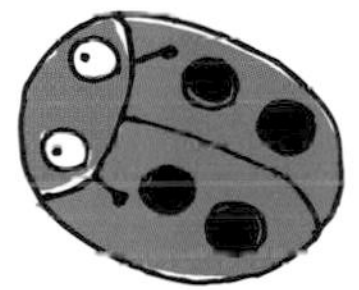

Cada bebé tiene su temperamento y su momento. Conocer la manera de ser de tu bebé te ayudará a relacionarte mejor con él. Para los momentos difíciles o conflictivos te proponemos un juego muy ameno. Consigue una marioneta o hazte un calcetín que puedes transformar en un muñeco mágico colocándole dos botones como ojos y una lengua con un trozo de cinta. Colócate la marioneta en la mano y comienza a moverla en todas las direcciones acompañando el movimiento con diferentes tipos de voces. Dile a tu pequeño todo lo que le quieres y juega a que la marioneta le besa en su tripita, en su pie, en el otro pie... Luego deja que la coja con tu mano dentro y muévela por todo su cuerpecito.

3 Gira, gira, croquetita

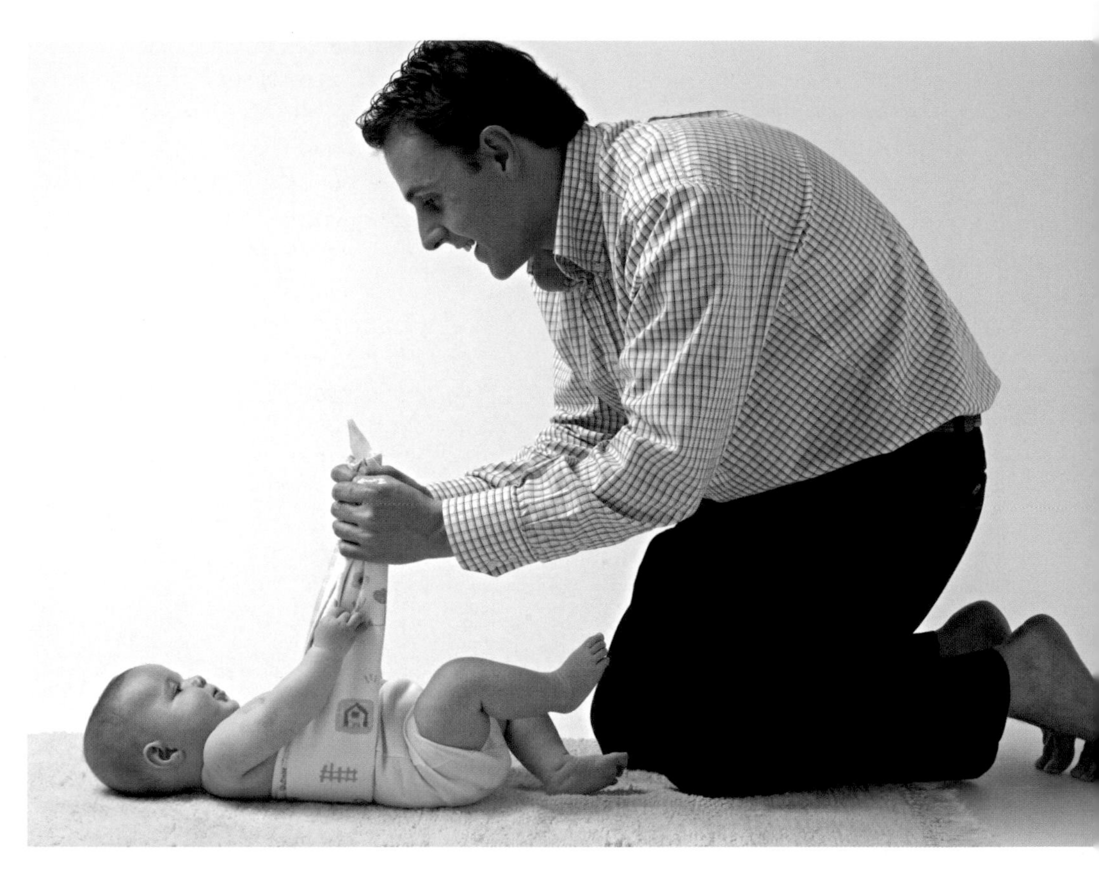

Para que tu hijo pueda darse la vuelta, es importante que levante las piernas y que juegue a cogerse los pies con las manitas.

MES 7

Es importante, como hemos dicho en los meses anteriores, que el bebé se gire dándose la vuelta de boca arriba a boca abajo él solo, de forma que pueda seguir desarrollándose motrizmente. Éste es un paso fundamental para llegar a gatear en los próximos meses. Por supuesto lo logrará si le dejas en el suelo o sobre una mantita la mayoría del tiempo que está despierto. En el caso de que tu bebé no sepa todavía pasar de boca abajo a boca arriba y viceversa, te recomendamos un juego divertido.

Dobla una toalla fina haciendo una banda de 5 o 6 cm de ancho. Tumba al niño sobre su espalda y coloca la toalla por debajo de su cuerpo. Sujeta ambos extremos con las manos. Levanta un poco la toalla para que su cuerpo se despegue del suelo. Tira de uno de los extremos para que él se gire de costado hacia un lado. Esto provoca que mueva simultáneamente la mano de un lado y la rodilla del otro. Repítelo tres o cuatro veces para cada lado.

Al galope

4

A través de la periodicidad del ritmo de los sonidos se establece un diálogo rítmico con quien escucha y sigue el movimiento. El niño siente la regularidad del sonido y lo refleja en un movimiento rítmico y ordenado sobre su cuerpo con el cual comienza a adquirir y sentir globalmente cierta armonía necesaria para el desarrollo del lenguaje.

Consigue un rulo o un cojín donde el niño pueda colocarse a caballito. En cualquier caso siempre puedes colocarle sobre el muslo de tu pierna estando sentada de rodillas en el suelo. Una vez en esta posición, le sujetas por la mitad del cuerpo con firmeza. Busca alguna canción infantil que tenga un ritmo muy definido. Marca el ritmo suavemente sobre el cuerpo del bebé. Muévele despacito como si fuera cabalgando en un caballo a través de un campo forrado de verde hierba. Si no pudieras conseguir ninguna música adecuada, recita con ritmo algunos versos como:

En este caballito (nombre del niño) ***quiere galopar, trico, trico, trico,*** (nombre del niño) ***quiere pasear.***

5 Veo, veo...

Jugar con papá es un placer del que no se puede privar al bebé. Para el bebé jugar a los mismos juegos con papá y mamá es muy divertido. Los niños aprenden las reglas sociales mediante sus juegos. Así reconocen que las personas reaccionamos de forma diferente ante la misma situación. En el juego de cucú-tras que siempre se juega con mamá no debemos olvidar también incorporar la figura del padre, tan necesaria para establecer una unión familiar estable a los ojos del pequeño. El bebé reirá a carcajadas cuando papá aparezca detrás del pañuelo.

Jugar a las escondidas es importante para el proceso de superación de la etapa de extrañamiento por la que pasan todos los niños para su crecimiento emocional. A partir de esta edad puedes comenzar a jugar. Este juego, con diferentes variaciones, le gustará incluso hasta los dos años.

Aprovecha al cambiar el pañal al bebé para jugar con un pañuelo semitransparente. Tápate la cara y al segundo descúbrela con muchas risas. Luego tápale a él de forma que, apenas toque con sus manitas el pañuelo, éste se caiga.

Cuando el pañuelo ha caído, festejas con cara sonriente: «aquí está...».

Entrar en la vida con buen pie

6

La mayor felicidad del bebé a esta edad es dar puntapiés a las cosas. Pues tenemos que aprovechar a tope con sentido común esta nueva habilidad adquirida de nuestro pequeño.

Puedes poner a su alcance diferentes texturas y así con los pies desnudos descubrirá también el tacto de los objetos. Por ejemplo, una pelota de felpa o de goma, algo suave como un peluche o un pañuelo de seda. Sentirá el cosquilleo sobre sus piececitos, entre los deditos, y lo más divertido: que se mueve al ritmo de la canción de mamá o papá. No importa que domines el canto, puedes inventar cualquier letra que haga referencia al propio bebé o su entorno y tararearla con ternura. Verás cómo intentará patalear al ritmo de tu «canción». La música o sonidos que están acompañados con alguna actividad física son seguidos con gran entusiasmo por parte del bebé. Estamos hablando de juegos musicales que educan para el bienestar y la felicidad de nuestro pequeño. Estamos cultivando también su espíritu para que pueda disfrutar de la música y ésta le cause un profundo placer en el futuro.

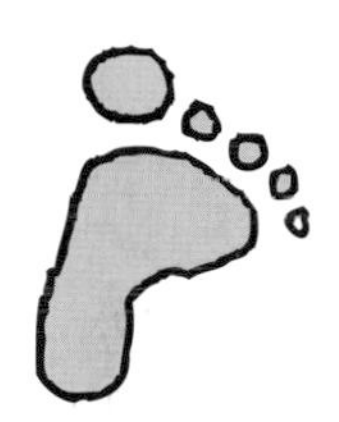

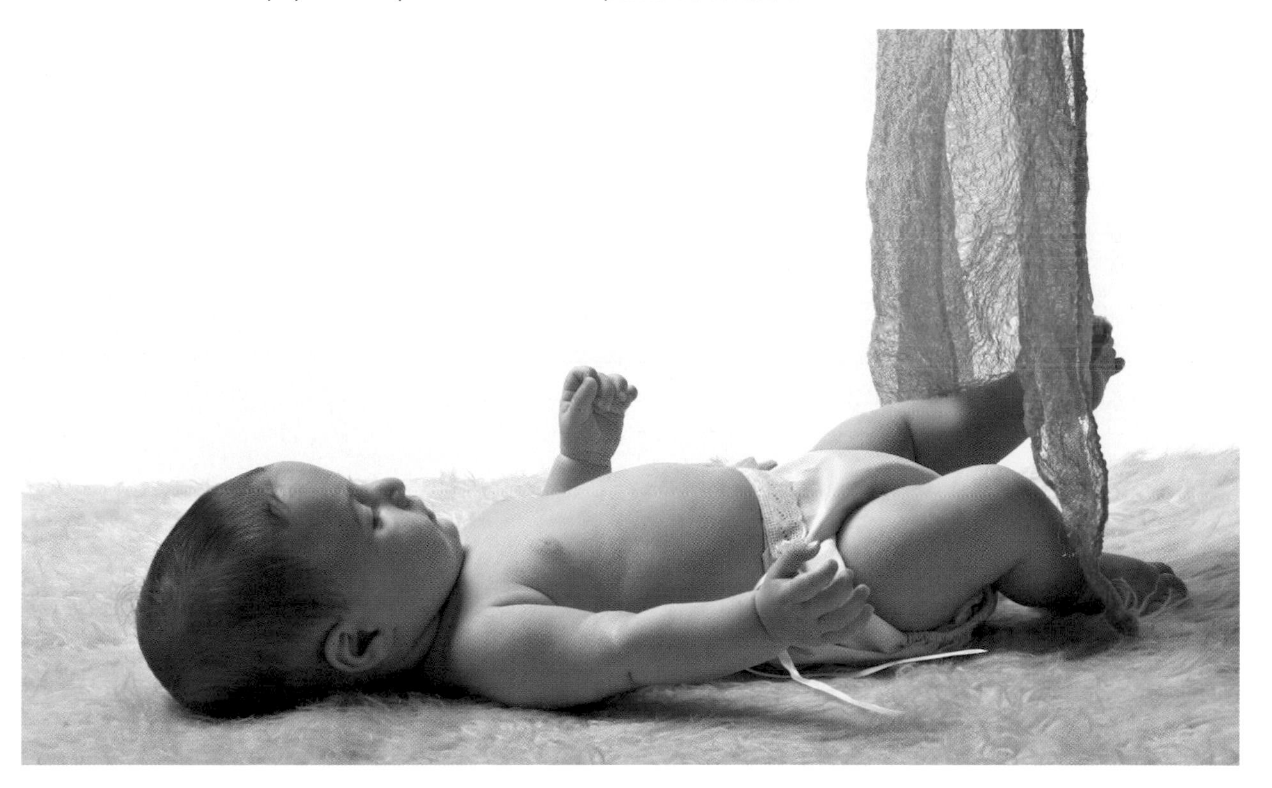

Tu bebé de ocho meses

1 El juego de las escondidas

Desde pequeñito, papá y mamá son los referentes más cercanos del bebé. Son ellos quienes lo acogen con ternura y hacen todo lo posible para que su vida sea más confortable. Lo más importante es la confianza que la madre inspira al bebé, ya que en el recuerdo del niño ha de prevalecer ésta sobre el enfado que le produjo la desaparición de su ser más amado. Esta confianza no la pudo destruir ni siquiera la ira que le produjo que su madre no estuviera presente.

Con el bebé tumbado en el suelo y vosotros sentados uno frente al otro, cogéis una sábana, que sacudís suavemente mientras cantáis. Luego os escondéis los tres bajo ésta siempre sonrientes, fomentando así el buen humor de toda la familia. Luego puede esconderse sólo el niño o hacerlo con mamá para que papá pregunte: «¿Dónde están?».

Se puede cantar esta canción:

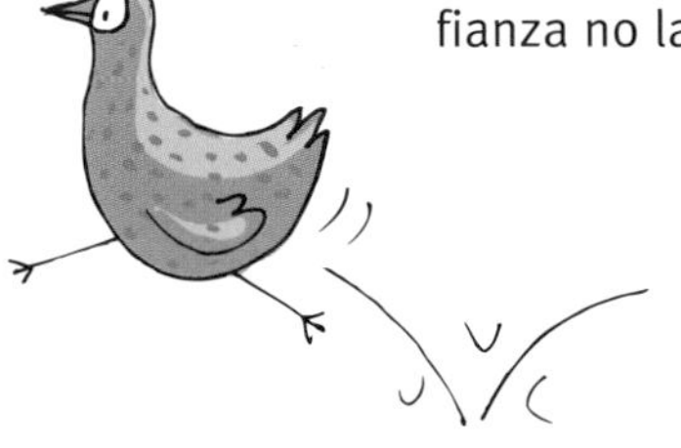

Salta, salta la perdiz,
por los campos de maíz.
¡Ay! que viene el cazador,
la perdiz ya se escondió.

Curioso por naturaleza

2

El objetivo principal de este juego es que sorprendas a tu pequeño con nuevas experiencias para así despertar la chispa de la inspiración en él, para que se muestre original, imaginativo y creativo y aprenda a expresarse con sensibilidad. Ahora ya es capaz de reconocer tu rostro y el de los familiares más cercanos. Sabe distinguir las diferentes emociones que expresa tu cara; sabe cuándo ríes y cuándo lo miras con enfado. Este conocimiento favorece su contacto social. Puede leer en las caras el amor, el cariño, la tensión, la alegría. Sitúate frente a tu bebé a unos 50 cm y muéstrale fichas con animales, objetos que le resulten familiares o bien un libro que tenga una sola imagen grande por página.

Con el ritmo en el cuerpo

Cada persona tiene su ritmo interior biológico que es indispensable respetar. A mayor sincronía con el exterior, mayor equilibrio interior. Un niño pequeño ante un ritmo responde balanceándose sobre el balón, pero le llevará tiempo y práctica sincronizar sus movimientos. Con el tiempo irá sensibilizándose al ritmo y desarrollando la capacidad de percibir las estructuras rítmicas, la aptitud para controlar los movimientos corporales y la anticipación. Todos estos componentes son necesarios para sincronizar el mundo interior con el mundo exterior, tan necesario para descubrir la sensación de felicidad y para adquirir un lenguaje inteligentemente expresado.

Sienta al pequeño sobre un balón y mécelo al son del instrumento que tocáis a su alrededor. Luego haz botar al bebé sobre el balón mientras cantáis:

Bota, bota y rebota
como si fueras una pelota.

¿Dónde está el osito?

4

Hay juegos que están íntimamente relacionados con el desarrollo de la inteligencia del niño, como «encontrar objetos escondidos». El objetivo de este juego es reforzar la aparición de dos notables capacidades: la verdadera intencionalidad y la capacidad de anticipación. Éstos serán indicios de un óptimo avance intelectual del bebé. Sienta al pequeño frente a ti y tapa su juguete con un pañuelo de tal manera que el niño pueda ver dónde lo has escondido. Si le preguntas: «¿Dónde está el osito?», el niño tirará del pañuelo y lo destapará. Le felicitas con risas y alegría por haberlo encontrado. Vuelve a tapar al osito y comienza de nuevo. Llega un momento en que tu bebé aprende que cuando deja de ver un objeto no desaparece para siempre, sino que sigue ahí.

Si eres ingenioso y despiertas su curiosidad con juegos divertidos, sin duda fomentarás su inteligencia.

Una ayudita, por favor

Si tu bebé se hace el remolón a la hora de gatear, puedes ayudarle con un sencillo truquito.

Coge una toalla y colócasela alrededor del cuerpo sujetándole con firmeza. Intenta ponerle a gatas elevando su tripita. Es conveniente que te sitúes de pie detrás del niño para poder sujetar con tus pies las rodillas de éste, que se encuentran bajo su tripita. Así le guiarás en su marcha dándole seguridad y evitarás que se abran sus piernecitas por no tener fuerza suficiente en los aductores. Puedes ayudarle colocando algún objeto colorido para que al niño le motive ir a buscarlo.

En el caso de que no apoye sus bracitos porque no tenga suficiente fuerza, puedes realizar el juego de «La carretilla» (véase ejercicio número 1, página 84).

Un proyecto en común

6

A través de unos juegos específicos, podemos contribuir al desarrollo de la personalidad del niño logrando su integración para la edad adulta. Esta integración será más o menos sólida según su aprendizaje anterior, dependiendo de los factores hereditarios y ambientales; de ahí la necesidad de un comportamiento predecible y estable de los adultos que le rodean para así evitar la confusión en el niño. La personalidad del niño será el resultado de la interacción de los estímulos recibidos según su medio y en relación con los demás y la adquisición de su propia percepción en el proceso. Es necesario que tenga oportunidad de vivir la interacción con «él mismo», «con los demás» y «con su propio ambiente».

También podemos aprovechar el juego marcando el ritmo cantando: Toc-toc, es un bo-tón ro-jo, y así con todos los colores. Esto favorecerá la adquisición del lenguaje.

Puedes hacer un collar muy bonito con unos grandes botones de payaso.

Tu bebé de nueve meses

1 Qué buen rollo, mamá

¿A que te has planteado mil veces por qué a tu pequeño investigador le gusta tanto abrir los armarios? La respuesta es sencilla: porque siempre encuentra algo interesante, como los rollos de papel higiénico. Ofrécele un rollo de papel de cocina y varios de papel higiénico: verás qué pronto organiza un juego divertido. Con ellos puede hacer torres y luego empujarlas, descubrir que el papel se puede rasgar fácilmente, arrugar y que incluso puede gatear detrás del rollo, que rueda cada vez que tira del papel. Puedes esconderte detrás de un trozo de papel y jugar a cucú-tras, o fabricar una pelota de papel para jugar con él.

No le dejes solo jugando con los papeles.

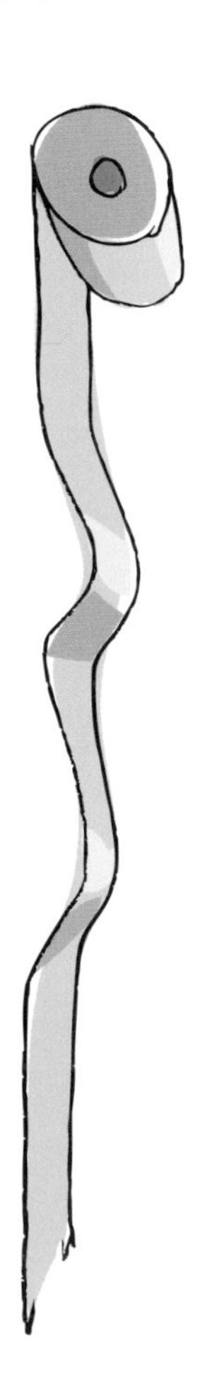

El pañuelo mágico

2

En casa dispones de miles de cosas que a tu pequeño le encantarán, como puede ser el rollo del papel de cocina ya gastado y un pañuelo finito y suave de los que se usan para el cuello. Introduce el pañuelo en el rollo y deja apenas una puntita que caiga por fuera. Colócalo frente al niño ligeramente por encima de su cabecita de forma que tenga que alzar los brazos para agarrar el pañuelo. En el momento en que lo sujete, tira suavemente del rollo para que parezca que lo ha sacado él. Luego vuelve a iniciar el proceso y aplaude siempre que lo consiga. Puedes ofrecerle el rollo con el pañuelo dentro y observar cómo lo inspecciona con curiosidad y qué juego inventa.

3 La espiral de la vida

A los niños les interesan los objetos más extraños; por lo menos así nos puede parecer a los adultos. Una pequeña espiral que se encoge y estira es un objeto que ofrece infinidad de posibilidades de aprendizaje a los niños de esta edad. Podrá también estirarla y siempre se volverá a encoger; se le colará entre los deditos facilitando la segmentación de éstos, imprescindible para una buena utilización de la mano. Tu hijo podrá mirarla mientras la mueves hacia la derecha, la izquierda, arriba y abajo para que la siga con la vista. Así conseguirás que ejercite el movimiento de los ojos hacia diferentes partes imprescindible en el futuro para una buena adquisición de la lectura. Al ser un objeto que tiene movimiento pero no hace ruido, le obligará a centrar toda su atención sobre el sentido de la vista. Es un bonito juego para establecer unas primeras relaciones sociales junto a otro bebé con el que podrá compartirla.

Es importante que no se la dejes a él solo; siempre ha de jugar bajo tu supervisión.

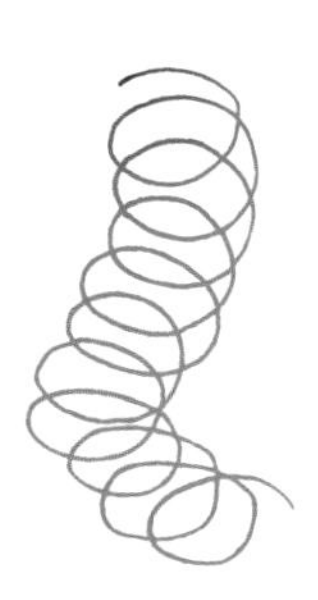

Trota, trota, caballito

4

Todos los pequeños disfrutan con los juegos tradicionales, como trotar sobre las rodillas de papá o bailar sobre la cadera de mamá. Coloca a tu bebé con las piernas abiertas sobre tu cadera y pon una música marchosa para trotar. Esta postura es adecuada para el desarrollo de sus caderas. Si estás reunida con otras mamás y bebés, podéis poner música y trotar por la sala acercando y alejando a los pequeños que así podrán tocarse y verse entre ellos, cosa que les provocará risas y alegría, a pesar de que vosotras acabéis siendo caballitos agotados, aunque la sonrisa de vuestros hijos será la mayor recompensa. De cualquier forma, lo que más les gusta a los niños es la voz de su mamá, por lo que puedes cantar tú misma:

En este caballito,
vamos a trotar,
trota, trota, trota,
trota, trota ya.

5

Rasgando papel

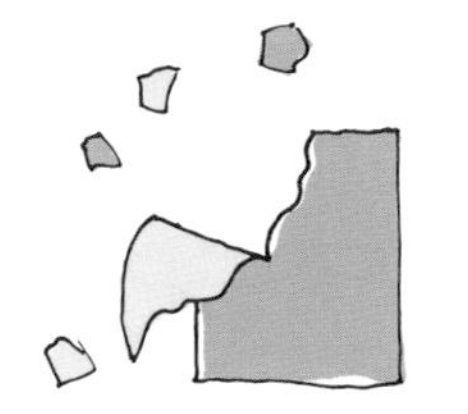

Para un día en el que no se pueda salir porque llueve o hace demasiado frío, organiza una pequeña reunión en casa. Invita a algún amiguito de tu pequeño y con unas revistas o trozos de papel de seda tendrás un divertido juego para todos.

Coge los papeles y ofrece un pliego a cada niño; muestra cómo se rompe el papel tirando de él. Rasgar papel es una destreza que conlleva la dificultad de coordinar ambos brazos para que cada uno lleve una dirección diferente. Pueden romperlo y arrugarlo; podéis pasarlo por sus pies y piernas para que note lo suave que es. Cuando los niños estén cansados, lo metéis todo en una caja para que vean cómo guardáis.

En ese momento podéis recitar:

A guardar, a guardar,
que ahora vamos a jugar
a otra cosita más.

Ha nacido un artista

6

Los niños sienten la necesidad de ver, hacer, experimentar, saber, y nuestra es la labor de darles una motivación apropiada, un estado emotivo favorable para el aprendizaje.

Podemos preguntarnos si nuestro pequeño a esta edad puede «tocar». Lo cierto es que las bases se construyen en esta fase y por tanto es necesario facilitarles un instrumento en cuanto sean capaces de tener algo en la mano. Para este momento los pequeños instrumentos de percusión (maracas, panderetas, shakers, campanillas) os serán de gran ayuda, a la vez que esta familia ofrece una amplia gama de instrumentitos con diferentes tamaños, sonidos y timbres. También podéis optar por fabricarlos vosotros mismos, como en el caso de unas sencillas maracas.

En un primer momento se desarrolla una fase de exploración del objeto y del sonido que éste produce. Esta etapa de manipulación individual es importante que se desarrolle en un ambiente de total libertad sin que los pequeños sean dirigidos.

En un segundo momento podéis participar con ellos, tratar de imitar lo que hacen, tocar a la vez o después que ellos, crear momentos de silencio, incluso cantar canciones como si quisiéramos acompañarlas con el «ritmo» que ellos ejecutan. Esta actividad constituye una forma de estimular a los más pequeños despertando su atención y concentración, su interés y por supuesto sus ganas de comunicar.

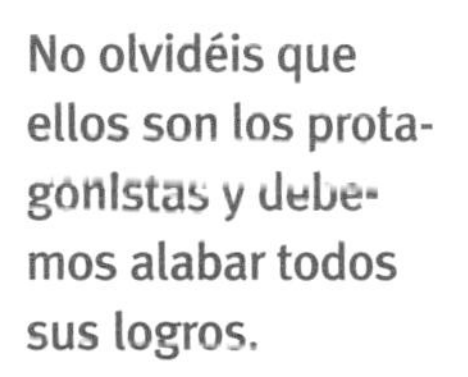

No olvidéis que ellos son los protagonistas y debemos alabar todos sus logros.

Tu bebé de diez meses

Como la espuma del mar

Tocar diferentes texturas ayuda a los niños a experimentar con el tacto. Hoy en día nuestros hijos no tienen muchas oportunidades de mancharse, jugar con barro... por lo que este juego les dará la oportunidad de pringarse sintiendo cómo la espuma se cuela entre los dedos de sus manos y pies. Este juego lo realizamos sobre un espejo, pero puedes hacerlo de la misma forma en la terraza o en la bañera.

Desnuda al niño y siéntale cerca de una pequeña montaña de espuma (puede ser de afeitar, de nata montada o realizada con su gel de baño). En el caso de que no muestre mucho interés en tocarla, coloca algún muñequito llamativo encima y muéstrale cómo acercas tu mano y te manchas. Acompaña este gesto diciendo: «Mira qué fresquita está la espuma». Así verá lo divertido que resulta.

Nunca dejes solo al niño con este juego.

Bolitas de gomaespuma

2

El niño tomará conciencia de la importancia y poder de sus manos si realiza juegos que le permitan moverlas. Para ello, es sustancial que los adultos que están con él tengan en cuenta el desarrollo madurativo del pequeño para darle el estímulo adecuado en el momento oportuno. La coordinación ojo-mano es imprescindible. Ésta le servirá para escribir, jugar a la pelota, hacer puzles... e infinidad de actividades y juegos que realizará durante su crecimiento. Necesitarás cinco bolas de gomaespuma que se utilizan como nariz de payaso. Coloca cada una en uno de tus dedos. Enséñaselos a tu bebé moviéndolos para que los siga con la mirada. Muéstraselos por arriba, abajo, a un lado y al otro. Luego puedes dejar que los alcance y que te los quite de los dedos.

Este juego has de realizarlo siempre bajo supervisión, ya que este objeto no lo debe tener el niño estando solo.

3

Un colador con sorpresa

Buscar objetos escondidos se ha convertido en una de las principales diversiones en la vida de tu pequeño. Con este nuevo juego que repite una y otra vez, tu hijo te demuestra que ha dado un pasito en su madurez. Ahora comprende que aunque él no pueda ver el objeto que está escondido, eso no quiere decir que no exista. Necesitas un colador grande, un sombrero, una cacerola... algo grande donde esconder debajo un objeto pequeño y atractivo para él. Esconde el juguete bajo su atenta mirada para que vea dónde lo pusiste. Cuando tu hijo levante el colador, sorpréndete al ver aparecer el objeto que estaba escondido. Si notas que no se percata de que debajo había algo, inténtalo dos o tres veces más y lo dejas para otro día. Con insistencia y paciencia llegará un día en que tu pequeño se dé cuenta de que ahí había algo escondido y entonces podrás cambiarle los objetos para mantener su interés y de esta manera fomentar su inteligencia.

Flotando en el espacio

4

Si colocas un espejo en el suelo, podrás observar que da la sensación de que hay un gran agujero. Esta sensación de profundidad se produce porque los dos ojos trabajan a la vez y correctamente. Coloca un espejo irrompible en el suelo (los que se usan para niños). Enseña a tu hijo cómo ruedan por él las pelotas. No le coloques sobre la superficie del espejo directamente, deja que él solo se anime a pasar por encima. A los niños les gusta verse reflejados en los espejos; además así tendrá una perspectiva diferente de su propia imagen al estar viéndose desde arriba.

Puedes asomarte y esconderte para jugar a cucú-tras o tapar su carita con un pañuelo. Todas estas actividades le resultarán muy divertidas y podrá jugar a aparecer y desaparecer, lo que beneficiará el proceso de la separación de ti tan característico de estos meses.

5 De paseo por la casa

Prepara tu casa tapando los enchufes y quitando cables y manteles que estén a su altura. Es importante que la casa, por unos meses, se convierta en un lugar seguro.

Al fin tu pequeño bebé puede ir donde él quiera. El gateo, además de ser importante en su desarrollo motor, lo es mucho más para el desarrollo de su personalidad. Tu hijo, cuando consigue gatear, está decidiendo el lugar al que quiere dirigirse. En el caso de que te vea alejarte, podrá ir en tu busca sin necesidad de quedarse llorando hasta que vuelvas a aparecer. Si algo con lo que juega se aleja, no necesitará llorar para que otro le devuelva aquel objeto que se encuentra fuera de su alcance. Ahora podéis hacer carreras por el pasillo de casa gateando los dos juntos y riendo mientras le dices «que te pillo, que te pillo». Podrás observar lo importante que se siente yendo y viniendo de un lugar a otro, no parando un momento. Para el niño pequeño estos momentos de «independencia» son muy importantes en su corta vida y sobre todo en el desarrollo de su autoestima.

Preparados, listos, ¡ya!

6

En el momento del nacimiento, el sentido de la vista es el que menos desarrollado se encuentra; no obstante, este sentido será el más importante a la hora de adquirir información del medio exterior. El bebé comenzará a mover sus ojos para localizar un sonido y experimentará placer y asombro al descubrir por azar los movimientos de los objetos, a los cuales seguirá muy atentamente con sus ojitos. Para adquirir una óptima visión, por la que el niño va a recibir el 80 por ciento de la información, hay que tener las vías de entrada en buenas condiciones para poder procesar la información y hacerla salir por las vías de salida. Durante todo el primer año se pueden realizar juegos visuales para mejorar los movimientos oculares. Por lo que bienvenidos serán todos aquellos juegos que fomenten el perfeccionamiento visual.

Para jugar a esto sirve cualquier juguete que tenga algo relativamente pequeño que, a la vez que produce ruido, se desplace lentamente para que tu pequeño pueda seguirlo.

Existe en las jugueterías un juguete que se llama «palo de lluvia» que está indicado para esto y que le gustará a tu pequeño.

Tu bebé de once meses

1

Safari en el desierto

¿No puedes salir al parque con tu pequeño? Móntate un arenero en casa y ¡a disfrutar! Necesitas dos paquetes de pan rallado, una caja de zapatos grande y unos pequeños animalitos de plástico. Dentro de la caja deposita el pan rallado e introduce los animalitos de forma que se vea apenas la cabeza de uno o una patita de otro. Anima a tu hijo a que introduzca los deditos en busca de los animales. De esta forma le resultará más atractivo meter la mano en el pan.

Al principio, con tus manos revolviendo en el pan, haz como que buscas algo escondido. ¡Qué sorpresa!, encontraste un animalito que asoma despacito entre las dunas que se forman. Haz los sonidos de los animales y dile el nombre de cada uno de ellos.

Coge un puñado de pan, hazlo caer desde lo alto y coloca la otra mano debajo. Incluso échale un poquito sobre los deditos de los pies a tu hijo y verás cómo se sorprenderá.

Para que la hora de recoger sea menos pesada, coloca una sábana en el suelo y todos los materiales sobre ella; otra idea es realizarlo en la bañera.

¡A ver si te atrapo!

Como puedes observar, el pan rallado es un material multiuso. Ahora incorpora al juego un embudo, una pequeña palita y un cubilete. Llena el embudo y deja caer el pan sobre su piel de forma que le haga suaves cosquillitas por todo el cuerpo: por los deditos, las manitas, los bracitos, las piernas y los pies al tiempo que vas nombrando cada una de las partes de su cuerpecito. A tu hijo le fascinará la forma en que cae el pan e intentará atraparlo.

Con su palita él mismo puede introducirlo en el cuenquito y luego traspasarlo al embudo.

Deja durante un rato que juegue solo bajo tu supervisión y que invente su propio juego.

3 Mi mamá me comprende

Todo resultará divertido si lo miras con esa intención. Incorpora más juguetes para que la diversión sea mayor.

Respetar el juego del niño es una labor a la que os enfrentáis los nuevos padres. Hasta ahora tu bebé ha necesitado ayuda para casi todo, y puedes llegar a pensar que continúa necesitándola: que le acerques el juguete que quedó lejos de su alcance, que le señales dónde y cómo meter esa pieza del puzle que tan obviamente sólo cabe en su lugar, etcétera; así podríamos escribir muchas más líneas. Para respetar cien por cien el momento de juego de tu hijo nada mejor que ofrecerle uno cuyas normas no sean tan evidentes.

Ofrécele una pequeña maletita con algún objeto que tenga sonido dentro. En el caso de carecer de una maletita, puedes recurrir a una pequeña caja con tapa fácil de abrir. Deja a tu hijo que la abra y observa lo que hace. Intenta no intervenir. Si ves que pierde la concentración, ábrela tú misma y enséñale lo que contiene; luego vuelve a ofrecérsela, ahora a medio cerrar y siempre con una sonrisa. Deja que el niño invente. Todo lo que se le pueda ocurrir estará bien: si la abre o la cierra, si coge el objeto y lo hace sonar.

Convivir con los obstáculos

4

La motricidad en un bebé gateador es para y por lo que él vive. Sólo piensa en gatear, investigar, tocar, curiosear, abrir y vaciar cajones... Lleva muchos meses quieto y al descubrir el movimiento sólo piensa en moverse. Ahora ya tiene un dominio total del gateo, por lo que quiere seguir avanzando en su nueva destreza. Aporta a su juego de movimiento nuevos retos, como subir por encima del cojín, pasar por debajo de la silla, y si no tienes módulos en casa como los de la foto, no importa: puedes improvisar uno con los cojines grandes y pequeños del sillón para que parezca un recorrido lleno de olas. Deja a tu bebé la libertad de moverse a su antojo, y en el caso de que sea muy intrépido, no le quites el ojo de encima cuando haya algún mueble o caja donde aparentemente no puede subirse, pues el día menos esperado lo conseguirá.

Puedes quedar en casa con amigas que tengan bebés de la misma edad que el tuyo y colocarlos unos cerca de los otros para que se toquen y se imiten **siempre bajo vuestra supervisión**; de esta manera fomentas su vida social.

5 Mi primer instrumento

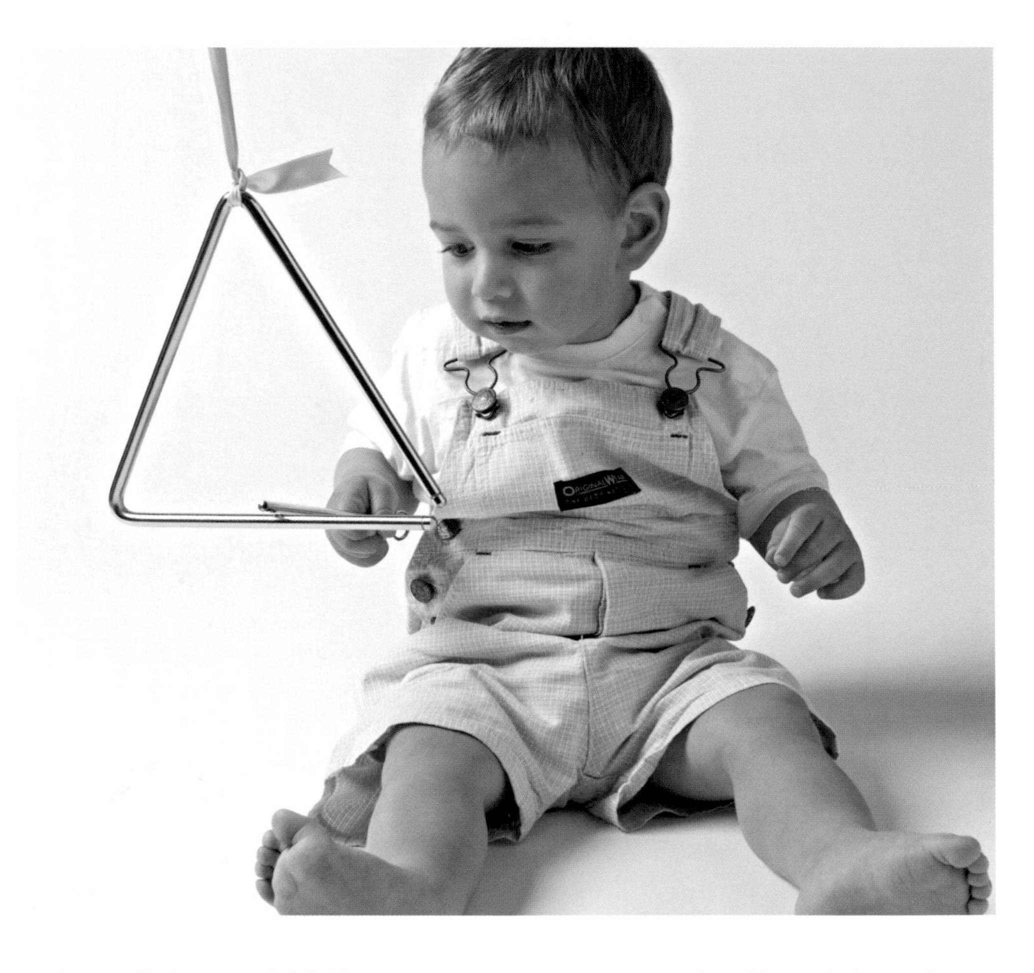

Puedes observar cómo se queda mirando el instrumento y cómo se concentra en hacerlo sonar. Aplaude a tu pequeño músico y él volverá a repetir una y otra vez el sonido.

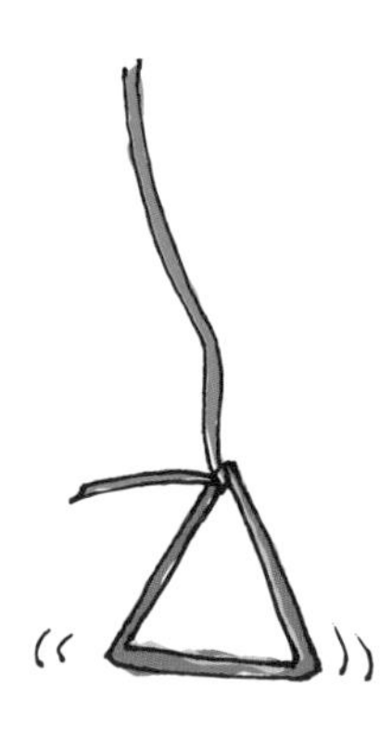

El aprendizaje general del niño pequeño se basa primordialmente en el proceso de causa/efecto y en la repetición. A tu pequeño un día, jugando, de repente le sucede algo que llama su atención porque es nuevo o nunca antes había caído en la cuenta; entonces repetirá el gesto que hizo una y otra vez hasta que lo aprenda. Su juego es básicamente repetición. Al escuchar un ritmo sencillo, tu hijo intentará repetirlo una y otra vez; el sonido es vital para el desarrollo del lenguaje del pequeño. A los niños les gusta todo aquello que produzca sonido. A tu bebé seguro que le gusta golpear dos tapas de cacerola y hacer un ruido atroz, pero también le gustará, y mucho más, un instrumento que pueda realizar un sonido más delicado. Ofrécele un triángulo con su palito para que los haga sonar, dos maracas o bien un xilófono.

Canta conmigo, papá

6

La imitación sólo es posible si hay un ejemplo a seguir. Los modelos para copiar: los padres, la familia, los educadores, que son las piezas claves en esta función. Cuando un niño no sabe jugar, hay que preguntarse si tiene suficientes ejemplos a su alrededor que le motiven para ello.

Además, la imitación constituye un proceso básico en la vida del niño como medio de comunicación y de adquisiciones motrices. Ésta va a ser aprendida como una fuente importante de estímulos a través de ejemplos tomados de la vida cotidiana.

A los 11 meses todos los juegos de imitación relativos a partes del cuerpo son apropiados. Este período se caracteriza por lo que llamamos «imitación sensoriomotriz», es decir, la repetición simple de esquemas motores o vocales.

En los meses anteriores al niño le interesaban las cancioncillas de «abuelas» como: «palmas, palmitas» o «los cinco lobitos». Ahora es el momento de buscar canciones que supongan tocar la cabeza, los pies y la barriga, así como las que implican imitar sonidos onomatopéyicos (qué sonido hace el perro, el gato o el camión y la moto).

Tu bebé de doce meses

Pasito a pasito

Lo más importante en el comienzo de la marcha en el niño pequeño es que se sienta seguro. ¿Cómo conseguir esto? Intenta estar cerca de tu pequeño gateador siempre que intente subir o bajar por lugares complicados; entonces, cuando pierda el equilibrio y esté a punto de caer lo coges y ayudas a realizar el movimiento de la caída, es decir, le llevas suavemente hacia atrás o hacia delante para que su cuerpecito realice todo el recorrido de la caída. No importa que se caiga: lo que debemos evitar es que se haga daño.

Poco a poco el cerebro irá registrando todos estos movimientos y el pequeño aprenderá con esto a caer. Haz que sus primeros pasitos sean divertidos. Ofrécele dos palos, que pueden ser unas picas de psicomotricidad o algunos palos de escoba que tengas a mano. Acompáñale agarrando los palos por la parte de arriba a la altura de su cabecita y camina marcando el ritmo de forma que comience a andar apoyándose en ellos. Él se sentirá seguro y pensará que camina solo sin ayuda de nadie.

Puedes recitar algún verso a la vez que produces el sonido del palo en el suelo que le causará mucha gracia:

Caminante caminarás
y a este niño encontrarás.
Caminante caminarás
y a mi niño cogerás.

El botellerío

2

La madurez neurológica, el desarrollo de su personalidad y la riqueza de su vida social son puntos clave para que el pequeño comience a soltar los objetos de una forma voluntaria, no casual. La mejor manera de comprobar si ha logrado esta madurez es pedirle que nos entregue un objeto a través de los barrotes de su cuna. Si logra repetir varias veces esta operación, significa que ya es capaz de soltar voluntariamente los objetos.

Necesitas una pelota y una botella con la boca suficientemente amplia para que quepa con soltura. Muéstrale cómo la metes dentro de la botella y dale otra a él para que te imite. En principio colocará la pelota sobre la botella sin soltarla. Es un ensayo para pasar a abrir la mano y ver cómo cae el objeto.

Es entonces cuando puedes ofrecerle diferentes juguetes para que los coja y luego pedirle que te los entregue haciéndolos caer sonoramente dentro de botes de diferentes tamaños.

3 Compartir experiencias

Realiza este juego bajo supervisión.

Todas las madres tarde o temprano nos encontramos haciéndonos la misma observación: mi amoroso bebé se está convirtiendo en un tirano egoísta que no deja que toquen sus cosas y que sólo tiene la palabra MÍO en su escaso vocabulario. ¿Cómo enseñarle a compartir sus juguetes con otros niños sin que ello suponga una batalla campal por la posesión de la pala y el cubo dentro del arenero del parque?

Compartir significa que el niño tiene que saber de antemano que aunque otro niño tenga su juguete, éste le continúa perteneciendo y en cualquier instante se lo van a devolver. Es todavía muy pequeño, y en unos cuantos meses llegará el momento de enseñarle. Pero puedes realizar juegos para compartir sin que llegue a producirse un gran conflicto. Fabrica un collar largo con grandes botones atados; cuando estés con alguna amiga que tenga un bebé de la misma edad que el tuyo, entonces le ofreces un extremo al amiguito y otro a tu pequeño de forma que los dos compartan un mismo juguete que al ser bastante largo no interferirá en la investigación del otro. Es posible que uno intente quitarle al otro justo el botón que tiene agarrado. Dale otro mientras le explicas con paciencia: «Este botón lo tiene tu amiguito, pero mira, aquí te doy otro igual». Si no te dio tiempo y ya se lo quitó, ofrece al otro bebé un nuevo botón.

Leyendo como papá

4

Es natural en esta edad que quiera siempre el mismo cuento; no insistas en cambiarlo: ya llegará el día en que él mismo pida un nuevo librito.

La lectura es un hábito que se imita. Normalmente padres lectores tienen hijos lectores. Leer un cuento con tu hijo os divertirá y fomentará la unión de vuestros lazos afectivos. Los niños en esta edad se interesan por todo: el nombre de las cosas, qué ruido hacen los animales, cómo funcionan los objetos y para qué sirven... Mirar cuentos con imágenes coloridas, con dibujos de situaciones que son familiares para el niño o con solapas que se abren y en las que aparece algún animalito supone para el pequeño una experiencia rica en conceptos; pero si además está acompañado por papá o mamá, será también un momento delicioso lleno de afecto y ternura.

Busca un libro donde haya una imagen de algún objeto que tengáis en casa, como por ejemplo un osito. Muéstrale dónde está el oso y todas las demás cosas que hay en el cuento. Pasa las páginas al ritmo que imponga el niño. Si quiere permanecer más tiempo observando un objeto, permíteselo. Podéis cambiar de cuento siempre que le interese a él.

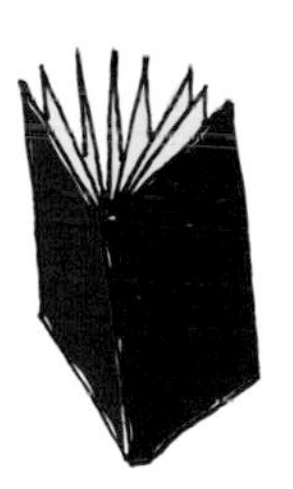

5 La esencia de las matemáticas

Parece mentira que podamos jugar con las matemáticas ya desde tan pequeñitos. No nos referimos a enseñar a tu bebé los números ni nada parecido. El comienzo de las matemáticas se encuentra en los conceptos básicos, como: *dentro-fuera, grande-pequeño, muchos-pocos,* o más básicos todavía: *cabe* frente a *no cabe*. Sobre este concepto se basa ese juego.

Ofrece al niño un cesto o una caja donde quepan unos cubitos o pelotas. Entonces hazle ver cómo puede sacarlas y volverlas a meter para que se dé cuenta de cuántas caben. Si vuelca el cesto, caen todas a la vez. En el caso de que tengas una caja lo suficientemente amplia, tu niño puede meterse y experimentar con el espacio. Es importante para los niños pequeños experimentar con el cuerpo todos aquellos conceptos que queremos enseñarles, ya que la mejor forma de aprender es viviendo la experiencia.

Bailando con globos

Al comenzar a andar, el niño también dará sus primeros pasos en el mundo de la música. La música le acompaña desde antes de nacer y despierta sus sentidos. En estas primeras etapas la música no se entiende, se siente, tiene un significado mágico. Cuando los juegos musicales están presentes, entre los padres y el bebé se establece una comunicación muy rica. Los pequeños, entre los 9 y los 12 meses de edad, es cuando más abiertos están para recibir el beneficio de los sonidos.

Cuando oyen una música determinada, prestan una atención muy marcada, llegando hasta a reconocer visualmente el instrumento o la fuente del sonido. Ésta es la forma más lúdica para obtener una concentración sostenida, prepararle para la entrada en la escuela y prevenir el fracaso escolar. Utiliza un globo en el que hayas introducido cascabeles antes de inflarlo y colócale una cinta. Frente al niño, comienza a bailar y agitar el globo.

Acércale lanzándolo y asegurándote de que pille o el globo o la cinta. Él alegremente seguirá yendo de un lado a otro agitando el globo para escuchar los sonidos de los cascabeles.

Resumen del primer año

De 0 a 6 meses	De 6 a 12 meses	
Adquiere paulatinamente el control cefálico. De la postura flexionada y asimétrica pasa a adquirir la simetría de su cuerpo alrededor de los 5 meses, además de estirar las piernas y brazos. Con las manos aprende a acercar y sujetar objetos, coger con una y luego con ambas manos incluso objetos oscilantes. Utiliza la palma de la mano, el pulgar y los dedos. Intercambia un juguete de una mano a la otra. Se da la vuelta de boca abajo a boca arriba. Su ángulo de visión es de 180º. Al estar sentado, todavía se cae hacia los lados.	Aprende a estar sentado, reptar, gatear, ponerse de pie y caminar con ayuda. Sujeta un objeto en cada mano. Señala con el dedo índice, coge los objetos entre el dedo índice y la palma de la mano, «pinza inferior», y más adelante cogerá con el pulgar y el índice: «pinza superior». Puede introducir objetos dentro de otros.	**Su motricidad**
Sobre la base de los esquemas de reflejos construirá los hábitos por las reacciones circulares primarias (reflejo sobre el propio cuerpo) para lograr luego las reacciones circulares secundarias (la actividad sobre algo exterior a él). Pasa del estado preimitativo al de semiintencionalidad.	Aparece la verdadera intencionalidad, y como su inteligencia es sensoriomotora (Piaget), es fundamental que utilice la experiencia a través del tacto. Aparecen las reacciones circulares terciarias: el progreso hacia una experimentación activa. Hay una buena perceptividad espacial, por lo que intentará meter el dedo o un palito en un agujero redondo. Probablemente ya suelte voluntariamente los objetos, por lo que puede hacer torres de dos cubos.	**Su inteligencia**
Emite sonidos guturales al mirar y oír a su madre. Aparecen los gorgoritos, las sonrisas y los balbuceos; también es capaz de reír a carcajadas. Se comunica con expresiones faciales y gestuales (comunicación no verbal). Grita de alegría y comienza a distinguir entre su familia y los extraños.	La desconfianza y el miedo hacia los extraños van en aumento hasta que comienza a disminuir la simbiosis afectivo-materna, que permitirá así al niño ser y reconocerse como «uno entre otros», la conquista de su «yo». Progresa en el juego de «dar y tomar» que permitirá un mayor desarrollo del lenguaje.	**Su vida social**
Pega un trocito de mi primer pijama Pega un trocito de mi primera esponja	Pega un trocito de mi primer peluche	**Recuerdo de sensaciones**

Anota sus pequeñas anécdotas cotidianas

Pega aquí la fotografía
de tu hijo

El segundo año en la vida del niño

Hoy es un gran día.

cumple su primer año entre nosotros y comenzará la aventura de su segundo año de vida.

El segundo año se caracteriza principalmente porque el niño es ahora un ser opositor, contradictorio y frecuentemente desbordado por sus propias emociones, que se manifestarán en forma de rabietas. Esto sucede porque él todavía es un ser inmaduro en todos los sentidos, incluso en su desarrollo emocional, y necesita todavía mucho de ti. Necesita tu presencia, quiere estar siempre pegadito a ti, tal vez simplemente sentirte cerca. Que siempre estés ahí. Es probable que te sientas agobiada por ello, pero la razón de este comportamiento es que él de repente cae en la cuenta de que mamá ya no es sólo suya. Esta exclusividad ha tocado a su fin.

El bebé-niño descubre con un cierto desagrado-agrado (es lo que llamamos contradicción) que hay mucha más gente que ronda alrededor de mamá. Papá, los abuelos, tíos, hermanos, primos, la vecina de al lado... y todos ellos en un momento determinado pueden interferir en su relación contigo; esa sensación le causa inseguridad y temor, y por eso busca desesperadamente tus brazos, cobijarse en ellos igual que cuando era pequeñito y estaba tan pegadito a tu cuerpo.

Pero la realidad que él vive es mucho más dura: el niño descubre que mamá ya no es una prolongación de su cuerpo, que es independiente y que a pesar de necesitarla tanto también puede perderla. Es inmenso el riesgo que corre, y por eso teme que ella se aleje. Le produce tristeza el hecho de que el ser que ama esté ausente. La tristeza que siente está provocada por el crecimiento, nuestro pequeño está madurando.

Este sentimiento es un paso importante hacia delante y el niño crecerá gracias a estas experiencias; es más, el pequeño no desea que lo despojen de su tristeza, pero necesita que su madre lo comprenda serenamente; el cariño y la comprensión de ésta serán una gran ayuda para él, y esto significará que el niño se está desarrollando de manera normal. Es comprensible que en estos momentos, cuando torrentes de emociones fluyen dentro de él, exista algún instante en el que se sienta desbordado y aparezcan las rabietas. A medida que maduramos y transitamos por la adultez, adquirimos el control sobre nosotros mismos y damos menos importancia a los pequeños conflictos de nuestra vida. Nuestro bebé-niño es un ser inmaduro todavía, y las rabietas son una manifestación de la progresiva maduración de la personalidad del pequeño. Es una etapa de crisis del crecimiento infantil. El niño la transitará y de ella aprenderá, y así descubrirá cómo funciona el control sobre sí mismo. A menor edad, menor tolerancia a la frustración y mayor número de rabietas, enfados y momentos de descontrol. Los juegos que te ofrecemos en las siguientes páginas tienen «su truco» para que te puedas armar de paciencia y de buen humor y sobrevivir a estos momentos que en realidad sólo son transitorios.

De una forma divertida puedes compartir sus juegos y disfrutar un montón al ver su creatividad, sus ocurrencias y especialmente su carita de alegría, mientras él va aprendiendo junto a ti cómo funciona el mundo. En este nuevo mundo para él desde luego no pueden faltar todos aquellos juegos de imitación que los adultos realizamos día tras día, como la compra de la casa, la limpieza o la cocina... Estos juegos también servirán para fomentar su lenguaje. Le puedes decir los nombres, colores y beneficios de las frutas y verduras de juguete que manipulará con mucha facilidad imitando un pequeño mercado. Verás también con qué arte usa la fregona o la escoba. Deja que te ayude en los quehaceres de la casa; de esta forma facilitarás que incorpore nuevas palabras y nuevos conceptos y asocie la secuencia de sonidos al significado correspondiente para que él mismo los produzca y comprenda lo que significan. Así conseguirás que cuando se produzca la «explosión del lenguaje», alrededor de los 24 meses, sea lo más satisfactoria posible. Juegos como los de *arriba-abajo* o los referentes a su esquema corporal, como *¿dónde está la cabecita, manos o pies...?*, le gustarán mucho. Los puzles también son juguetes muy socorridos y fomentan la concentración y el conocimiento espacial.

Meter palitos en agujeros, bolitas en botellas, golpear con martillo, introducir cajas pequeñas en otras más grandes o apilarlas haciendo torres, usar libros gigantes que le permitan sentarse sobre ellos o esconderse detrás de las páginas son muy recomendables para el desarrollo de su inteligencia y cognición.

Mamá se cuida

El cuerpo de la mamá de un hijo de dos años

Hola, sigo siendo tu cuerpo

Durante el primer año de vida de tu bebé, tu cuerpo de mamá se fue haciendo cada vez más sensible. Has aprendido a prestar atención a tus sensaciones, a los mensajes que te van llegando a través de ellas, y mediante ese contacto con tu cuerpo, puedes registrar mejor los mensajes corporales que tu bebé te envía. Aprendiste a observarte y a observarlo desde una sensibilidad más abierta y receptiva.

Durante ese primer año, el trabajo corporal estaba destinado a lograr que fueras creciendo en tu sensibilidad y en la aceptación y transformación creativa de los cambios que la maternidad había traído a tu cuerpo; era importante que recuperaras la familiaridad, la confianza en él después del nacimiento de tu bebé. Las propuestas te invitaban a generar una actitud lúdica, deseosa de experimentar y apta para discriminar por ti misma lo que te hacía bien de aquello que no sentías beneficioso. Cada cuerpo es un mundo, y la investigación es muy personal. Una persona especializada puede proporcionarte ideas, pero debes estar atenta a tus propias sensaciones, a lo que es adecuado para tu cuerpo, destreza que irás desarrollando todavía más en esta etapa.

La sensibilidad en la que fuiste progresando no es algo estático y acabado. Deberías mantener las rutinas del trabajo corporal que te propuse para el primer año de tu bebé. En esta etapa también será necesario seguir estimulando tu piel, fuente sensible inagotable que te inspirará conductas maternales apropiadas.

Una mamá investigadora

Recorre una vez más las fotografías que se exponen en el libro desde el primer mes de vida de tu bebé hasta los dos años. Tal vez en el primer recorrido que realizaste le prestabas más atención a los juegos, toques, tipos de objetos; ahora te invito a observar especialmente las posturas de niños y adultos que ves en las fotos. ¿Qué notas? ¿Qué llama tu atención? Escribe tus observaciones. Retoma el rol de investigadora. Observar desde un cuerpo sensible es una buena práctica. Cualquier dato que registres y anotes será de gran valor. Luego, cuando vayas ejercitando un poco más tu cuerpo y tu sensibilidad, volverás sobre esas fotos y sobre tus anotaciones. Quizá descubras datos que no estaban presentes y puedas añadir nuevas revelaciones.

«Estar a la altura» de tu hijo

«Estar a la altura de tu hijo» significa, literalmente, poder permanecer en cuclillas, de rodillas sentada sobre tus talones, sentada en el suelo con las piernas flexionadas o extendidas. Posturas que debe incorporar una mamá a su repertorio para «estar a la altura» de su hijo (ver las páginas 152, 157 y 169). La flexibilidad, tanto para tomar algunas posturas y permanecer en ellas como para el pasaje de una postura a la otra sin padecer, puede ejercitarse. Hay personas que naturalmente realizan esas posturas que te muestra el libro y pasan de una a la otra sin dificultad; sin embargo ellas no están exentas de hacerse una pregunta clave: ¿Cuánto tiempo puedes permanecer en esa postura con comodidad y sin realizar un esfuerzo innecesario? Preguntarte cuán cómoda estás en una postura cualquiera debería ser lo habitual, pero no imaginas cuán poco frecuente es esta pregunta... antes de que aparezcan las primeras tensiones y dolores. Y es en ese momento cuando tal vez notes que te cuesta extender la pierna, porque has estado mucho tiempo inmóvil sentada en el suelo con las piernas cruzadas, o cuánto te duele un pie, después de haber permanecido un rato largo de rodillas, sentada sobre tus talones.

A experimentar...

a. Imita la postura de alguna de las mamás fotografiadas en el libro.

Te propongo que elijas una foto en que una mamá esté sentada o arrodillada en el suelo jugando con su hijo y que imites esa postura tratando de ser lo más fiel posible: ¿Cómo están sus hombros? Trata de poner los tuyos como los de ella. ¿Qué dirección ha tomado la cabeza? Sitúa tu cabeza así. Observa los brazos e intenta ponerlos de la misma forma, y también las manos, cada dedo de cada mano. Reproduce la postura del tórax —espalda y pecho—. Observa las piernas, los pies e intenta una posición similar. Cuando hayas conseguido «pasar» a tu cuerpo la postura de la madre de la foto, pregúntate si estás cómoda, y, si no lo estás, observa en qué punto no estás cómoda. Luego busca «tu propia» manera de estar en esa postura. Es importante que te des cuenta de cuántas veces en la vida adoptas posturas que observas en otras personas y que posiblemente no sean las adecuadas para ti.

Para divertiros un rato prueba con tu pareja un juego de imitaciones mutuas. Adopta una postura, de esas que te parezcan difíciles para él, y pídele que la imite. Luego cambiad de rol: Que sea él quien elija la «postura difícil» y tú lo imitas. Y no sólo podéis probar las posturas de las fotos del libro. ¡A inventar!

b. El desarrollo de la conciencia dentro-fuera como un modo para trabajar los desbordamientos emocionales.

Recostada en el suelo, explora los toques que te llegan al cuerpo, tanto desde el suelo como desde la ropa, incluso los toques del aire. ¿Tienes registro de la presencia de tus músculos y de tus huesos en el interior del cuerpo? ¿Y de tus articulaciones? Quédate unos instantes experimentando esas presencias.

Palpa los huesos que estén al alcance de tus manos: por ejemplo desde una mano los huesos de la otra, también los huesos del brazo, de la cabeza, las vértebras cervicales, las clavículas, el esternón, las costillas, la pelvis. También palpa otros huesos más alejados: por ejemplo los huesos de las piernas y de los pies. Haz estos toques sin calcular el tiempo —al tocar tus huesos despertarás tu energía más profunda—, y no hagas fuerza ni con las manos ni con los hombros. «Muévete desde tus huesos» —no importa cómo interpretes esta consigna—, y registra tus articulaciones a través de los movimientos.

Vuelve a las sensaciones de la piel. Percibe tu forma, tus límites corporales, sin perder la sensación de los músculos, de los huesos, de las articulaciones, de tu interioridad. Esos límites son fronteras que te permiten defenderte de la invasión del mundo exterior sin aislarte de ese mundo. Esta percepción «dentro-fuera» te ayudará a estar consciente de que tu cuerpo no es una prolongación del cuerpo de tu hijo, y así podrás «estar en ti» sin dejar de «estar con él». Del mismo modo, te facilitará la contención que precisas en esta etapa llena de desbordamientos emocionales y de rabietas provocadas por las crisis de crecimiento de tu hijo. Pruébalo yendo al suelo cada vez que te sientas desbordada con las rabietas de tu hijo. A veces bastan unos minutos. Cuando vuelvas a retomar el juego con tu pequeño, ofrécele alguno en que pueda dar de comer y acunar a un osito (ver el juego de la página 200) o bien juegos como un libro para inventar (página 186) que ofrecerán a tu pequeño la oportunidad de inventar historias cuyos personajes pueden salir del cuento.

c. **Algunas diferencias entre el tacto y el contacto consciente.** En este tipo de trabajos corporales que te propongo, diferencio «tacto consciente» de «contacto consciente». El tacto consciente estimula la superficie del cuerpo, la piel, y se relaciona con un «tocar que no va más allá» de esa superficie. En cambio, el contacto consciente es un «tocar a través», un modo de tocar que atraviesa la superficie corporal en la doble dirección del interior y del exterior de tu cuerpo. Un ejemplo sencillo: si tienes una pelotita de tenis en una de tus manos, por ejemplo, y tocas desde esa mano la otra «a través de» la pelotita, te estarás iniciando en el contacto consciente.

¿Por qué hablar de tacto consciente, de contacto consciente, y no de tacto y de contacto sin más? Esto es así porque no se trata de un toque casual en el cuerpo de tu hijo, en el tuyo o en el de tu pareja. No se trata de un contacto accidental entre tus manos a través de un objeto sin prestar atención a lo que haces. Por el contrario, éstos son actos que tienen una intencionalidad: toques que buscan producir un efecto de estimulación o de relajación, un contacto que intenta llegar a una zona del cuerpo que no puedes tocar de modo directo o que por alguna razón, física o psicológica, no deberías tocar. Aprender a tocar es también «aprender a no tocar».

d. **Ideas para desarrollar la práctica del contacto consciente.** Si estás recostada en el suelo, te propongo que experimentes con un globo debajo de tu cuerpo —cabeza, espalda, pelvis o cualquier otra zona que te interese probar—. Registra la forma, la consistencia del globo, su flexibilidad, cómo se adapta a la forma de tu cuerpo. Nota las reacciones al toque del globo en el interior de tu cuerpo y también dirige tu atención al suelo: ¿Captas la distancia entre tu cuerpo y el suelo? ¿Reconoces la consistencia del suelo «a través» del globo? Investiga esta propuesta con diferentes partes del cuerpo.

e. **Contacto consciente con tu pareja a través de un globo.** **1.** Sentados en el suelo en una postura cómoda. Uno frente al otro sosteniendo el globo «a cuatro manos». Daos el tiempo necesario para captar la distancia entre las manos a través del globo y poco a poco la distancia, no sólo entre las manos, sino también entre los cuerpos. Que uno de vosotros mueva el globo y el otro lo siga con las manos y las partes del cuerpo que precisa mover (sólo las imprescindibles). Luego haced un cambio de roles: quien tiene el rol activo se hace pasivo y quien tiene el rol pasivo se hace activo. Finalmente los dos os haréis activos moviendo ambos el globo al mismo tiempo. En este trabajo aprenderéis a estar «activos», cuando «dirijáis la batuta», y «pasivos», cuando os dejéis dirigir. También habrá un aprendizaje importante cuando seáis ambos activos sin interferiros mutuamente. **2.** Sentaos en el suelo, espalda con espalda, con un globo entre ambas espaldas. Tratad de hacer el menor esfuerzo posible para sostener el globo. Permaneced así el tiempo que necesitéis hasta registrar, a través del globo, la respiración y las espaldas de ambos. Intentad daros cuenta del conjunto del cuerpo de quien tenéis detrás. Podéis masajearos a través del globo y notar cómo éste se adapta a las formas de vuestros cuerpos. **3.** Ambos de pie y varios globos en el suelo. Pisad los globos hasta sentir la superficie del suelo sosteniendo al globo y a vosotros.

Es importante captar «el mensaje del globo»: se adapta a los pesos, a las formas, sin explotar (si explota por lo general es porque está demasiado inflado o estropeado).

f. **Sentada en el suelo, con el sostén que te da la pared.** Si puedes estar cómoda, ¿por qué estar incómoda? Cuando adoptas alguna de las posturas que descubres en las fotos del libro, tal vez sea posible que te sostengas con menos esfuerzo si estás «respaldada». Los músculos de la cintura, de la espalda, del cuello dejan de hacer esfuerzos innecesarios cuando tu espalda está apoyada en la pared... y te das cuenta de ello. No siempre nos damos cuenta de que tenemos un respaldo que puede hacer más fácil nuestro sostén. Así sentada, toma un par de pelotitas de tenis y ponlas entre tu espalda y la pared. Sitúalas según tu conveniencia. Algunos ejemplos: a ambos lados de la columna lumbar, en la parte alta de la columna y en el cóccix, entre los omóplatos, en fin, hay muchas zonas según lo necesites. Puedes masajearte la espalda de este modo. Verás cuánto puedes hacer por tu bienestar... y el de tu hijito, que por lo general van juntos.

g. **Pasar de una postura a la otra a través de los cambios del peso del cuerpo.** Cuando juegues con tu pequeña o pequeño, no te quedes mucho tiempo en ninguna postura, aunque creas que estás cómoda. Prueba a reproducir «a tu manera» no sólo las posiciones que viste en las mamás fotografiadas, sino también las de los bebés. Juega con los cambios de peso del cuerpo, que es lo que has hecho quizá sin darte cuenta desde tu infancia. Te sugeriré una secuencia posible, pero tú puedes descubrir otras. De estar recostada de espaldas vuélcate hacia un lado hasta que te encuentres recostada sobre tu vientre; hazlo lentamente: así te das tiempo para observar todos los cambios de peso que haces en este movimiento sencillo en apariencia. Una vez que estés recostada sobre tu vientre, busca ir sentándote de costado —hacia un lado y hacia el otro— y poco a poco desemboca en la postura del gato, observando los cambios del peso de tu cuerpo a medida que realizas estos recorridos. De esta postura, investiga varias maneras de ponerte de pie, al menos tres. Ya de pie, prueba algunos balanceos que te permitan pasar el peso de tu cuerpo desde los talones hasta los dedos de los pies, también de un lateral del pie al otro y de un pie al otro. Luego intenta «pasar» la película al revés: desde esta posición de pie experimenta ir hacia el suelo en la secuencia inversa a la que te levantaste. Estos movimientos los niños suelen realizarlos con naturalidad.

Tu bebé de trece meses

Hola, ¿quién es?

Para los trece meses el pequeño ha acumulado ya muchos recuerdos de las sucesivas idas y vueltas de su madre. Podemos decir que en su imaginación ha interiorizado la imagen de ella y la confianza de saber que mamá va y viene. El psicólogo Winnicott definía esta maduración como *la capacidad de estar solo pero acompañado;* o sea, la habilidad de representar objetos y personas en su memoria, de forma que se sienta acompañado. Esto significa que podrá aprender a permanecer solo porque sabe que su madre está cerca, aunque no pueda verla. Un juego divertido para este aprendizaje es que tu pequeño se esconda detrás de una cortina de papel pinocho y tú lo llames: «¡Hola, cariño!, ¿dónde estás?», y cuando él se asome lo recibes entre risas y abrazos.

Puedes utilizar un palo de escoba apoyado sobre dos sillas en el que cuelgas la cortina.

Para mí, para ti

Los padres nos empeñamos en querer que nuestros hijos compartan sus juguetes. Grave error. ¿Nosotros compartimos con facilidad nuestras pertenencias, nuestros «juguetes»? Pues a ellos tampoco les gusta esta idea, pero poco a poco, con paciencia y algún «truco», podrás conseguirlo. Sentados en el suelo, comienza a rodar una pelota y luego lánzala suavemente canturreando «para mí, para ti, para él (nombre del amiguito)», «ahora dámela a mí, luego a (nombre del otro niño)», mientras indicas con el dedo a quién ha de ir dirigida. Puedes extender tus brazos hacia él para que pueda atraparla casi de tu mano. En cada niño el tiempo de aprendizaje es diferente. Pero una vez que los dos niños dominen la situación, disfrutarán un montón jugando entre ellos, ya que saben que la pelota es para ambos.

No obstante, ten cerca una pelota igual a la anterior de reserva, de modo que si uno de ellos se hace el remolón, tendrás un as bajo la manga incorporando la nueva pelota al juego para evitar conflictos.

3 Aprendiendo a pensar

¿De qué depende la inteligencia del niño? Indiscutiblemente el código genético marca el camino, pero también el ambiente influye de manera importante en la maduración. A los 13 meses tu pequeño está profundamente interesado por todo lo que ve a su alrededor. Llegará a la inteligencia práctica por el camino de la continua manipulación de los objetos, explorando todo con gran curiosidad y atención. Facilítale un juguete que pueda armar y desarmar cómodamente, como unos cubos de tela sujetos por velcro. Con sus manitas tirará de ellos haciendo un pequeño esfuerzo que fortalecerá sus dedos y le ayudará a adquirir mayor destreza, necesaria para utilizar el lápiz correctamente. Luego comenzará a colocar uno encima del otro, y por su diseño, éstos se quedarán conectados con facilidad entre sí, lo que le causará gran alegría a la vez que fomentará su inteligencia.

Encajables de colorines

En el primer estadio de pensamiento las cosas para el niño son lo que sus ojos pueden ver, su nariz oler, su oído escuchar y sus manos tocar (Jean Piaget, 1896-1980). La necesidad de experimentar que tu pequeño manifiesta en coger, tirar, lanzar... se observa al colocar objetos. Nada mejor para esto que un juguete de encajables que contenga figuras de formas redondas, cuadradas y triangulares. Comienza por colocar la forma redonda, que le resultará más fácil, luego el cuadrado y por último el triángulo. Al jugar utiliza las figuras de una en una y con la otra mano tapa el resto de los agujeros; así le resultará más fácil introducir las piezas y verás que pronto dominará él solo el juego. Con este juguete le estás ayudando a desarrollar la coordinación óculo-manual y a aprender las formas y colores.

5 El mundo al revés

Hay niños que comienzan a gatear en el segundo año de vida. No hay por qué preocuparse; lo fundamental es que se sienta estimulado para realizar juegos de gateo. Es una actividad importantísima, no sólo para adquirir una buena coordinación entre brazos y piernas, sino para ejercitar conjuntamente los dos hemisferios cerebrales, necesario para un correcto desarrollo en el aprendizaje. Además fortalece los músculos de la espalda protegiendo así la columna de futuras desviaciones y ayuda al desarrollo de la visión estereoscópica, es decir, la visión de los dos ojos en conjunto. Túmbate junto a tu hijo sobre un suelo mullido y experimenta con diferentes movimientos jugando a dar volteretas entre carcajadas y con buen humor. Verás como lo pasáis bomba y tu pequeño inventará variadas posturas fascinantes para él.

Tu bebé de catorce meses

1 Viajar por el túnel del tiempo

Una vez que los niños consiguen mantenerse de pie y caminar sin ayuda, progresan rápidamente, a pesar de los diferentes retos que deben afrontar. Algunos se muestran cautelosos; otros, sin embargo, son más lanzados y no temen, por ejemplo, atravesar un túnel (los venden en jugueterías) o pasar por cajas grandes de cartón abiertas por los dos extremos. Escoge cuatro cajas del mismo tamaño, abre las solapas y encájalas entre sí. A tu pequeño le divertirá un montón pasar por espacios reducidos. Gatear a través de aberturas cercanas al suelo es muy recomendable para fortalecer los músculos dorsales y sincronizar el movimiento, una compleja habilidad que depende de la práctica. Podéis disfrutar jugando juntos; uno de vosotros, papá o mamá, le lanza la pelota a través del túnel, mientras el otro espera la llegada del pequeño en el extremo opuesto con los brazos abiertos, llenándole de mimos y festejando su logro.

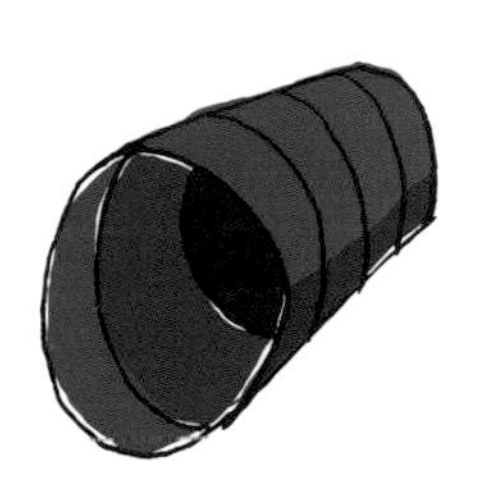

El libro gigante de la granja

4

Puedes fabricar un libro de grandes dimensiones en casa recortando animales de la granja y pegándolos junto a árboles y plantas. Con él jugaréis a identificar, reconocer y nombrar las figuras. Puede ser que quiera colocar el cuento en el suelo y sentarse encima o esconderse entre sus hojas. Acompaña su juego con grandes risas, como buscando con intriga al niño debajo de las páginas; hasta puedes incluirle en la historia que estabas contando. Recuerda colocar también el libro en posición vertical para que tenga la oportunidad de observarlo cómodamente, ya que en la escuela verá la pizarra de esta forma y necesitará acostumbrar sus ojos a ello. Además de potenciar la concentración, su mundo se enriquece porque en los juegos reproduce sus experiencias y es él mismo quien marca sus reglas.

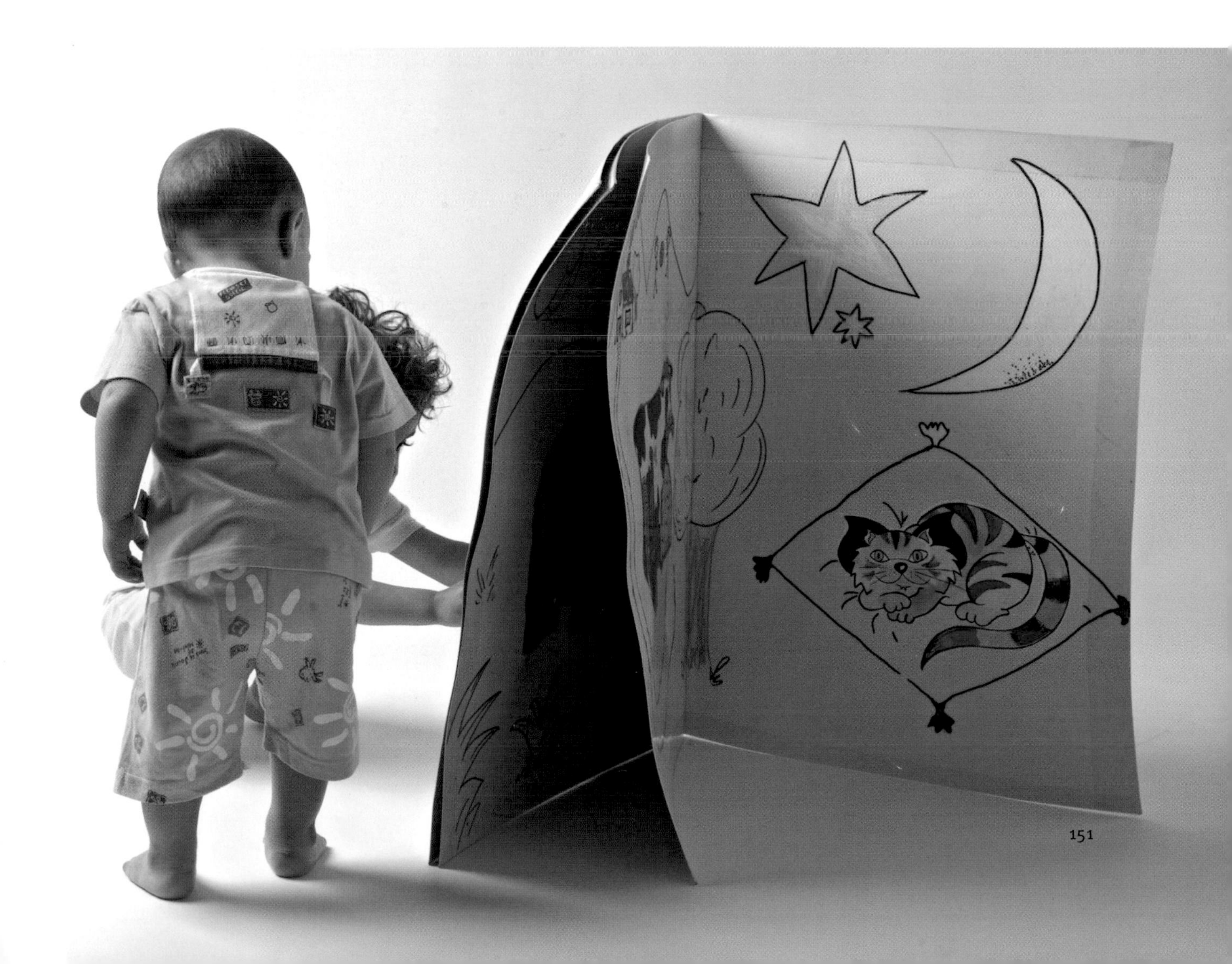

5 El escarabajo

El pequeño, cuando domina bien la marcha, no quiere parar ni un segundo. Parece que tenemos un pequeño torbellino a nuestro alrededor. Lograr que pare y nos preste atención es un duro trabajo. Sorpréndele con un juguete diferente, por ejemplo un aro de los que venden en jugueterías o bazares. Se lo ofreces al niño para que lo coja y le propones llevarlo hacia arriba y hacia abajo cantando una canción:

Por arriba y por abajo
anda el escarabajo.
Por abajo y por arriba
pasa mi niño/a con alegría.

Cuando el niño ya tiene capacidad de imitación, podéis tener un aro cada uno; incluso llegará un momento en que jugará solo inventando diversos movimientos.

Déjalo disfrutar con el aro, pero quédate junto a él y dile que lo estás pasando bomba con sus nuevas ocurrencias.

Tu bebé de quince meses

1 Baby construcción

Colocar piezas unas encima de otras es un juego al que todos los niños están dispuestos a jugar. Construir torres incentiva la conexión sináptica del cerebro, por lo que esta actividad fomenta la inteligencia de tu pequeño constructor.

Ofrece a tu hijo un juego de construcción, ya sea de plástico o de madera, pero cuyas piezas encajen con facilidad. Deja todas las piezas a su alcance para que realice construcciones según su criterio. Es muy posible que haga varias torres de dos o tres piezas. Festeja su pequeño logro y deja que, si quiere, las derribe. Este juego no tiene reglas, acompaña a tu bebé durante su juego e intervén sólo si él insiste. Los niños con los que desde muy pequeños se ha jugado o a los que se les ha acompañado durante su juego, para el final del segundo año aprenden a jugar en solitario.

Si no manifiesta un interés especial por este tipo de juegos, puedes dejarlo para más adelante.

Un cojín con sorpresa

Los niños pequeños creen que cuando un objeto desaparece es que ha dejado de existir. A tu bebé le entusiasmará jugar a todo aquello que suponga esconder y buscar. Coloca su juguete preferido bajo un cojín, caja, sombrero... cualquier cosa que le resulte atractiva, y asegúrate de que el pequeño está mirando lo que haces.

El juego de esconder-encontrar objetos es necesario en su madurez intelectual. Observarás que parece no cansarse nunca de este juego, lo que significa que tiene toda la curiosidad a flor de piel y le motiva ir a la busca del objeto desaparecido. Lo que el niño vive en este proceso es de un valor incalculable en el desarrollo de su inteligencia. Puedes también esconder un osito detrás de un sillón, siempre que el niño vea dónde lo colocaste, y preguntarle: «¿Dónde está el osito?»; ahora que ya puede desplazarse tal vez vaya en su busca. Cuando lo encuentre ,sorpréndete de lo listo que es y disfruta de la carita de satisfacción que se le pondrá al oír algo como: «¡Lo encontraste! Pero qué listo, eres todo un campeón».

3 El fútbol, ¡mi pasión!

En el caso de que no logre dar patadas, le resultará la mar de divertido que sostengas un balón atado a un cordel y se lo acerques a sus pies. En cuanto notes que toca suavemente el balón, festéjalo y hazlo volar; al descubrir el movimiento, pronto empezará a patear voluntariamente.

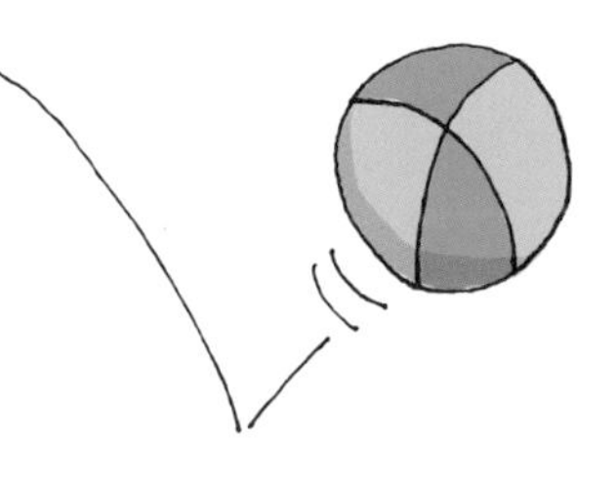

Consigue uno o varios balones hinchables de playa grandes y poco pesados. Al pequeño le encantará trasladar los balones de un sitio a otro, como también lanzarlos cerca para que tú los cojas. Cuando camine con seguridad y pueda despegar un pie del suelo sin caer una y otra vez, empujará el balón para dar patadas; por eso es tan importante que sea grande y liviano. Los niños que desde pequeñitos han jugado con balones no suelen tener dificultades en este juego.

¿Dónde está mi cabecita?

Habrás advertido que tu pequeño está todo el día detrás de ti, imitando todo lo que tú haces, si te metes en la ducha, si te peinas... Es momento para el «juego del esquema corporal». Puedes jugar a nombrar las partes de su cuerpo y del tuyo. Nombrar y señalar las partes del cuerpo le ayudará en el aprendizaje. Es necesario para el posterior aprendizaje de la escritura, la lectura...

Siéntate frente al niño y comienza por ejemplo diciendo: «¿Dónde está la cabeza?, ¿dónde un brazo?, y ¿el otro?».

Ayúdale colocando un aro o una pulsera tuya en su brazo o en su cabeza para que intente quitárselo.

Luego puedes pedirle que señale tu nariz o tu boca o bien la de su osito preferido, de forma que se dé cuenta de que todos tenemos las mismas partes del cuerpo.

5 Investigando con mis manitas

La finalidad de los juegos con las manos radica en que el niño logre una capacidad básica para inhibir los movimientos inadecuados y ejercer el control necesario sobre el movimiento que debe realizar, de modo que éste sea preciso y que pueda adecuar la presión según los juguetes que usa.

El desarrollo de la coordinación visomanual, es decir, el movimiento de la mano coordinado con la dirección que siguen los ojos, es muy importante para realizar más tarde las tareas de la escuela como: colorear, dibujar, escribir... Intenta conseguir algún juego parecido al de la fotografía. Consiste en una base con un palo y unas figuras que se pueden introducir a través de él.

Ofrece a tu hijo el juguete montado y sujeta la base con tus dedos para que descubra que las anillas o figuras salen. Si después de un tiempo no logra descubrirlo, muéstrale cómo sacas una pieza y vuelves a colocarla sin hacer ningún comentario.

Cuando lo haya realizado algunas veces, suelta la base para que lo investigue libremente.

Tu bebé de dieciséis meses

1 ¿Dónde está mi amigo?

A estas alturas tu pequeño está encantado con todos los juegos en que aparezcan y desaparezcan objetos. Todavía continúa el proceso de «la fase de separación» de mamá. Poco a poco notarás cómo él mismo te demanda una y otra vez para jugar a las escondidas (¿estar juntos-estar solo?). Fabrica una pequeña marioneta que aparezca y desaparezca de forma que cuando tu pequeño la haga desaparecer puedas decir con cara muy extrañada: «¿Dónde está el muñeco?» y en el momento en que lo haga aparecer alégrate y exclama con gesto de sorpresa: «¡Aquí está!». Los juegos de esconder y buscar continuarán siendo sus preferidos especialmente hasta los 18 meses, y luego le seguirán gustando durante todo el segundo año. Mientras mueves el émbolo hacia arriba y hacia abajo, puedes contarle un cuento que se te ocurra o, por ejemplo: «Aquí aparece un amiguito bueno y cariñoso para jugar contigo. Está muy feliz, ya que no estará nunca más solito».

Los cubiletes

Construir y derribar se ha convertido en una actividad superatractiva para tu pequeño. El objetivo principal es que desarrolle esa inspiración creadora que hace tan divertido su juego, a la vez que aprenda a mantenerse durante unos minutos atento en lo que hace; de esta manera se promueve la capacidad de concentración. Ofrécele unos cubiletes redondos de diferentes tamaños. Comenzará a colocarlos unos encima de otros. Poco a poco irá haciendo torres cada vez más altas; en principio usará sólo dos cubiletes, pero al final del segundo año los colocará todos.

Estos cubiletes son un juguete que se utiliza todo el segundo año primero metiéndolos unos dentro de otros y luego apilándolos. Más tarde podrás utilizarlos para traspasar agua de uno a otro o para jugar en la arena. Una vez que domina los cubiletes redondos, puedes pasar a los de forma cuadrada.

Gusanitos saltarines

El descubrimiento de la tercera dimensión supone una actividad de gran interés para el pequeño curioso que tienes en casa. Meter palitos en diferentes agujeritos supone tal diversión para el niño que no puede resistirse a cualquier juego en el que pueda realizar esta actividad. Si los palos son de distintos grosores, será mucho más divertido.

Existen en las jugueterías algunos juguetes como el de la fotografía. También puedes fabricarlo en casa con una caja de cartón, a la que le harás unos agujeros y en el que puedes introducir pinzas de la ropa. Incorpora al pequeño en la fabricación para que pueda ayudarte, ya que en esta edad están muy dispuestos a colaborar. Será un juego nuevo, diferente, y realizado en compañía de mamá y papá, se afianzará el vínculo afectivo. Es conveniente tener en cuenta que el aprendizaje cognitivo será mucho más beneficioso si implica una carga afectiva.

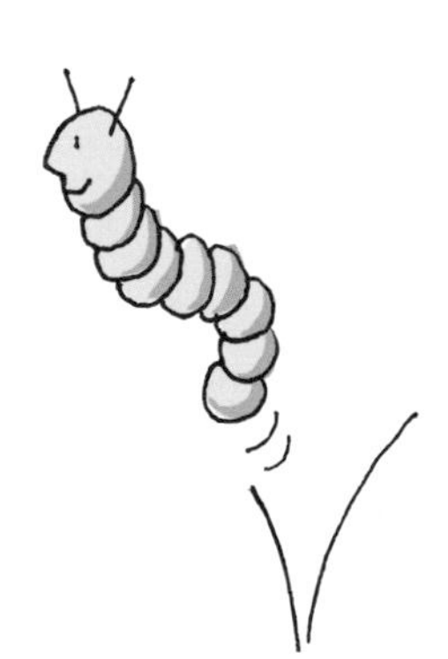

Lo que se aprende con placer y amor seguro que se queda grabado en la memoria del pequeño.

Jugar a los bolos

Es un juego adecuado para jugar con niños de diferentes edades.

Para el desarrollo integral del niño pequeño tenemos que tener en cuenta también el movimiento de su cuerpo en relación al espacio y el cálculo de las distancias respecto a los objetos. Un juego que implica todo esto es el de los bolos. Tu hijo necesita tener una madurez suficiente para comprender el juego: se tira la pelota para derribar los bolos; ha de colocarse para localizar el objetivo y luego lanzar la pelota hacia éste. Todo esto requiere de una concentración para la que poco a poco tu bebé-niño se está preparando. Ofrécele una pelota grande y poco pesada y unos bolos que no tengan mucha estabilidad para que se caigan fácilmente. Es un juego adecuado para niños de diferentes edades. El comportamiento de cada uno será distinto. Los más pequeños prefieren tener los bolos más alejados, ya que según su lógica quieren disfrutar el mayor tiempo posible; en cambio los mayores los colocan bien cerca para derribarlos pronto y así declararse ganadores.

5 Pasar por el aro

La realidad es que los niños necesitan moverse, ejercitar y fortalecer sus músculos, adquirir y practicar sus destrezas motoras; su despliegue de energía es tal que muchas veces los padres se preguntan: «¿No se cansa nunca este niño?».

Intentar que los niños se queden quietos desarrollando sólo actividades sedentarias no es positivo para ellos y resulta casi imposible. Para que los pequeños se desarrollen de un modo armónico, gocen de buena salud y tengan entre otras cosas buen humor, necesitan combinar juegos de movimiento con actividades tranquilas.

Inténtalo con este juego que te proponemos, pues lo más probable es que los dos disfrutéis a tope. Coloca un aro para que pase a través de él. En el caso de que no lo tengas, colócate junto a él para gatear por el pasillo de casa, por debajo de las mesas o de las sillas. Más tarde podéis rodar como croquetas por el suelo o arrastraros como un gusanito. A los pequeños les encanta jugar con los adultos a hacer cosas que les resultan divertidas.

Tu bebé de diecisiete meses

1 El quita-pon multicolor

El desarrollo de la inteligencia del niño se observa fundamentalmente en la forma que tiene de utilizar sus manos al manipular juguetes más complejos. Cuando consigue la presión voluntaria entre los dedos pulgar, índice y medio, demuestra un avance importante de su inteligencia, como también un correcto funcionamiento de la coordinación visomotora y del enfoque visual. Para conseguir esta hazaña, nada mejor que practicar con un juguete adecuado para ello, como ensartar bolas o anillas en una varilla. Intentará quitarlas y ponerlas sin cesar, o también traspasarlas de un palo al otro. Descubrirá por experiencia propia cuándo ya no caben más anillas en la varilla. Que el juguete sea colorido le divertirá, pero todavía **no insistas** en que las coloque por colores, aunque sí puedes nombrárselos.

Cucú-tras. ¿Dónde estás?

Al pequeño le conforta saber que tú siempre estás ahí, así le infundes valor para quedarse solo. Cuando el bebé viene al mundo, sus referentes más cercanos son sus padres. Ellos lo acogen con ternura y amor. Resuelven sus pequeñas dificultades diarias y le hacen la vida más feliz. Desde el primer día, a través del amor, se establece un vínculo afectivo muy profundo que es necesario para que el bebé se sienta totalmente apegado a su madre; y así cuando llega el momento de ir separándose de ella y comenzar el camino de la independencia, no le pilla de improviso. Jugar a esconderse detrás de las cortinas ayuda en este proceso. Los períodos deben ser breves y el niño tiene que escuchar tu voz para que se asome y te encuentre rápidamente.

También le puede resultar superdivertido utilizar una sábana colgada del marco de la puerta en lugar de la cortina.

3 Mamá, quiero ser artista

Nunca dejes al niño solo con los rotuladores.

Todo el mundo en su interior tiene la creatividad latente, y los niños, por supuesto, sienten pasión por la pintura. Es hermoso inspirarse en el niño para compartir junto a él la aventura de una vida creativa. Si no quieres encontrar los garabatos de tu hijo por toda la casa, te sugerimos que crees «un rincón del arte» donde tu pequeño artista pueda desarrollar sus dotes. Forra un trozo de cartulina gruesa con papel autoadhesivo que sirva de pizarra para rotuladores y donde el niño pueda empezar a realizar sus primeros trazos, que a esta edad tendrán forma circular. Prepárale un trapito con el que pueda borrar. Le encantará dibujar y borrar, ya que de esta manera él dominará a su antojo cuándo aparece o desaparece el dibujo. Este juego debe realizarse en tu presencia.

Adivina, adivinanza

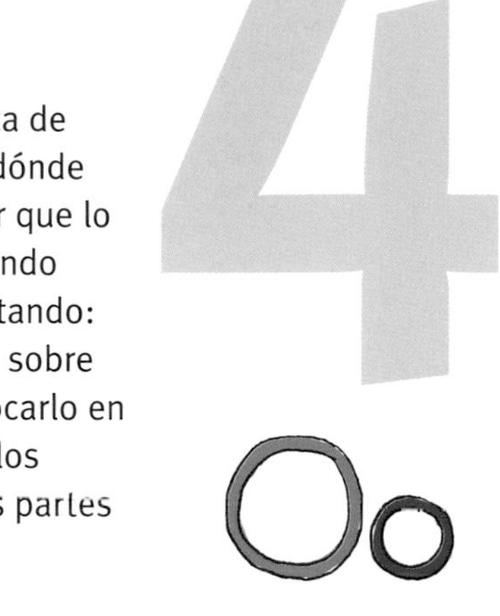

Los pequeños necesitan vivir experiencias nuevas, relacionarse con otros niños y abandonarse al placer del juego mientras aprenden un sinfín de conceptos. Con unos aros grandes y pequeños existe la posibilidad de realizar multitud de juegos: clasificarlos por el tamaño o color; repartirlos por el suelo y caminar dentro de ellos, preferentemente con los pies descalzos; colocarlos sobre la cabeza y decir: «¿Dónde está la cabeza de (nombre del niño)...?», o bien «¿dónde está la cabeza de mamá?»; lograr que lo mantenga sobre su cabecita estando quieto o dando unos pasitos cantando: «Adivina, adivinanza, ¿qué tengo sobre la cabeza?». También podéis colocarlo en ambos pies o brazos nombrándolos en una canción con las diferentes partes del cuerpo.

5 En busca del oso escondido

Los padres estimuláis la imaginación actuando como referentes conscientes e inconscientes. El niño se identifica con personajes y situaciones convirtiéndose en protagonista y viviendo profundamente sus aventuras, que dejarán huellas en su comportamiento y le inculcarán valores que poco a poco irá adquiriendo. Todavía se encuentra en posesión del «pensamiento mágico» y el oso de repente está o no está, es bueno o malo, hace cosas divertidas o se enfada pasando de la alegría a la tristeza o viceversa en segundos. Todo es posible. Él irá madurando a través del juego y reconocerá su propia valía en la amorosa mirada de sus padres.

Prepara un libro de cartulina pintado y hecho por ti. Coge un muñeco o peluche pequeñito —es importante que pueda manipularlo con facilidad—, y escóndelo entre las hojas e inventa historias sobre él.

Tu bebé de dieciocho meses

1

Pase misí, pase misá

El niño que haya adquirido una buena motricidad y enriquecido su experiencia al moverse por el espacio, por encima, por debajo, o alrededor de muebles y atravesando obstáculos, habrá logrado un mayor equilibrio a la hora de sincronizar sus movimientos. Ha preparado su cuerpo para los imprevistos. Se moverá hábilmente en sus traslados e investigaciones. No se caerá con facilidad. Al sentirse seguro en su corporalidad, también su autoestima será más alta. Mientras le animas para que atraviese unos aros, cántale: *«Pase misí, pase misá, el gatito (nombre del niño) pasará por los aros de mamá».*

Este juego le incitará a ponerse a gatas, tan beneficioso en cualquier edad.

Una casa a prueba de viento y marea

2

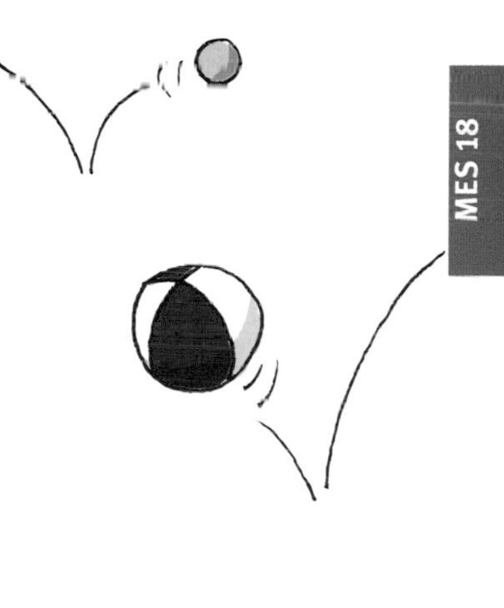

Si el niño tiene una casita, pasará largos ratos jugando en ella. No hay nada que le pueda dar más placer que fabricar contigo sus juguetes. Si tenéis una caja de cartón grande podéis forrarla con papel de colorines o simplemente pintarla. También puedes colocar encima de la mesa una sábana o situarla sobre cuatro sillas sujetándola con pinzas para tender la ropa. Pídele que coja de un extremo la tela o que sujete las pinzas; a él le hará mucha ilusión participar. Acuérdate de agradecerle su colaboración. Deja un hueco que sirva como puerta para que el pequeño pueda entrar y salir libremente y meter sus juguetes. Usa pelotas de diferentes tamaños y con los colores favoritos de tu hijo.

Le hará mucha ilusión lanzar las pelotas por los huecos o ventanas y observar cómo caen, un ejercicio muy beneficioso para la coordinación visomotora.

3 ¡Socorro, me quiere ayudar!

Cuando los niños quieren hacer las mismas cosas que papá y mamá, es conveniente permitírselo. Al pequeño le divierte echarte una mano; además de imitar todo lo que haces, también quiere colaborar tanto si quieres como si no. Él siente en su interior un naciente espíritu de colaboración que irá en aumento y se encuentra en pleno apogeo. Aprovecha estos momentos y no le prohíbas que te ayude, a pesar de que tal vez no te encuentres preparada para una colaboración tan especial. Él se siente capaz de todo, y al verte a ti tan contenta por su nuevo y recién estrenado interés, se sentirá eficaz. Esto le dará confianza en sí mismo. Elogia lo bien que lo ha hecho y por favor: no pases la fregona en el lugar que él lo hizo. Hazlo luego.

En estos momentos es más importante el buen desarrollo de tu hijo que una perfecta limpieza de la casa.

Jugando a su antojo

4

El aprendizaje es posible si el deseo de aprender surge del interior del niño. La curiosidad interna es la motivación más directa para ello. Aprende con curiosidad, descubriendo el entorno a través de la experiencia directa, incluso cometiendo errores. Cada una de sus experiencias es válida. ¿Es posible motivar al niño permitiendo que esa curiosidad natural, esa habilidad de acercarse a situaciones nuevas, en los que sea capaz de quedar totalmente absorto en el juego, sea lo que le marque el camino? Desde luego que sí. Facilítale un entorno en el que pueda disfrutar con diferentes elementos y materiales (no juguetes convencionales), papeles y telas de colores, cajas y cajitas, picas, palos de gomaespuma, pañuelos...

Este juego que denominamos «jugando a su antojo» fomenta su creatividad y su total concentración.

5 Toc, toc: ¿hay alguien ahí?

A los niños les encanta jugar en espacios reducidos, secretos e íntimos. Si tu pequeño se esconde muy a menudo con la intención de jugar a aparecer y desaparecer, puede ser que siga con «el proceso de la separación de mamá». Intenta incorporarte a su juego, pero sin invadir su espacio. No entres nunca en su casita; sólo si él te invita. Puedes tocar en la puerta de la casa cuando él esté dentro diciendo: «Toc, toc: ¿hay alguien en casa?». Lo más probable es que tu pequeño abra la puerta y aparezca en el rellano con cara de sorpresa diciendo: «Soy yo, aquí estoy», o simplemente se ría a carcajadas.

Abrázalo, ríete y comunícale lo mucho que has disfrutado con el juego compartido.

Tu hijo de diecinueve meses

1 Paseando con mi noria

Tienes un bebé-niño de 19 meses y, poco a poco, parece que se está haciendo mayor. Es un torbellino, no para ni un momento y la mayoría de las veces no se desplaza paseando, sino que corre de un lugar para el otro desplegando una energía descomunal. Ahora está practicando todos los desplazamientos que ha ido aprendiendo desde que comenzó a ponerse en pie. Para que aprenda a dominar sus movimientos, ofrécele una noria, con la que tendrá que calcular distancias para no chocarse con los muebles o los marcos de las puertas.

Si consigues una noria para él y otra para ti, podrás jugar al pilla-pilla, lo que le producirá grandes carcajadas y desarrollará su buen humor compartiendo contigo sus ganas de corretear por la casa.

Trotamundos

Empujar una noria es importante para su motricidad, así como tirar de un juguete, por ejemplo un perrito que puede arrastrar tirando de él con una pequeña cuerda. Otra forma de jugar con las norias es dejarle que invente algo nuevo que hacer con ella. A los niños pequeños les gusta jugar a los caballitos y corretear por el campo como si fueran uno de ellos. Sigue su juego, pues así incrementarás sus ganas de inventar nuevas formas de utilizar el juguete, y cada vez se le ocurrirán juegos más divertidos y ocurrentes. Otra opción es darle un palo de escoba.

Forra la parte del cepillo con un trapo y ponle unos trozos de lana como la crin del caballo. Podéis escoger un nombre para él y luego guardarlo en la cuadra.

3 Pasos musicales

Tu pequeño no para ni un momento y ya no sabes qué hacer para que gaste toda la energía, que parece inagotable. Aún recuerdas las ganas que tenías de que aprendiera a andar, cuando comenzaba a dar sus primeros pasitos, y ahora sueñas con un ratito de calma. Para que tu pequeño adquiera nuevas destrezas motrices y de paso se quede tranquilo durante unos segundos, cómprale un caminito sonoro que al pisar emita algún sonido divertido. Al principio pasará rápidamente sin pararse para observar que suena. Poco a poco irá cayendo en la cuenta de que según donde pise suena un sonido u otro (relación causa-efecto). Este tipo de juego le obligará a estar atento para saber cómo colocar los pies si quiere que suene.

Muy a menudo nos referimos a la importancia de la coordinación ojo-mano y pocas veces nos encargamos de la coordinación ojo-pie, fundamental para el completo desarrollo motriz del niño pequeño.

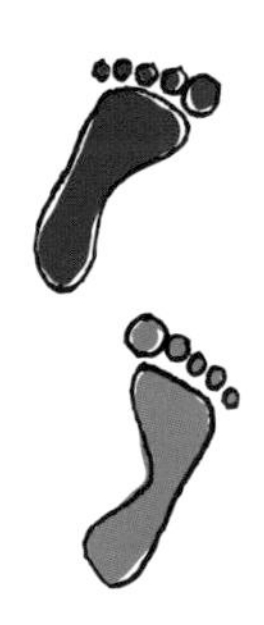

Puzles de ida y vuelta

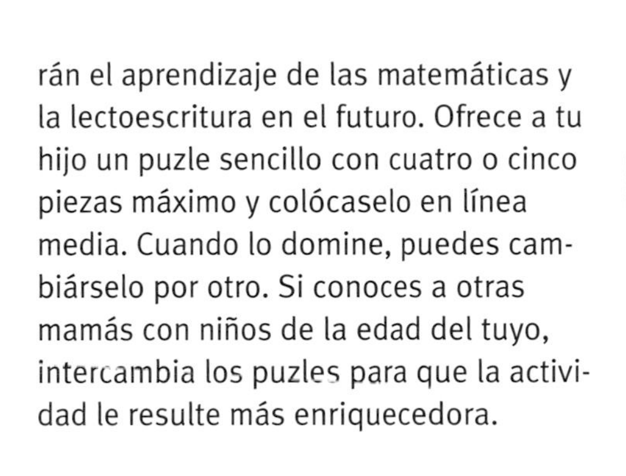

Los padres hoy en día concedemos una creciente importancia a la educación de nuestros hijos, especialmente de cara a la preparación para el futuro. Para esta edad puedes ir proporcionándole diferentes y sencillos puzles que le ayudarán en el reconocimiento de formas y en la coordinación visomanual, que fomentarán su concentración y le facilitarán el aprendizaje de las matemáticas y la lectoescritura en el futuro. Ofrece a tu hijo un puzle sencillo con cuatro o cinco piezas máximo y colócaselo en línea media. Cuando lo domine, puedes cambiárselo por otro. Si conoces a otras mamás con niños de la edad del tuyo, intercambia los puzles para que la actividad le resulte más enriquecedora.

También podéis reunir os entre vosotros y así los peques tienen la posibilidad de divertirse entre ellos.

5 El mundo en una pompa de jabón

Localizar objetos en movimiento, realizar un seguimiento visual durante un breve período de tiempo y luego dirigir la mano despacito en la misma dirección de algo que se mueve lentamente por el espacio para agarrarlo es una labor difícil de realizar. Esto es lo que un bote de líquido para hacer pompas de jabón puede enseñar a tu pequeño. Es un juego perfecto para niños muy tranquilos, pues los animará a moverse en busca de las brillantes pompas; para los niños más movidos será de gran ayuda: podrán correr entre las pompas desgastando toda su energía o cazarlas con paciencia y delicadeza, lo que les obligará a estarse quietos unos segundos y permanecer concentrados el tiempo suficiente para poder agarrar una bonita pompa voladora. En las jugueterías venden unas pompas que no se explotan al tocarlas, de modo que puedan tenerlas por unos segundos en sus manos.

Tu hijo de veinte meses

1 La cesta de la compra

A esta edad tu hijo seguramente te ofrecerá un objeto, momentos más tarde se acercará para recuperarlo e inmediatamente después te lo devolverá de nuevo. Has de seguirle el juego sin intentar analizarlo. En esta actividad se experimenta la posibilidad de dar y recibir, el intercambio social imprescindible para una auténtica conversación gestual. Es el momento de montar una pequeña tienda con frutas, verduras y diferentes alimentos que sean familiares para el pequeño. Entonces él podrá ponerse a un lado y simular ser el vendedor; puedes dar a otro niño una bolsa o cestita para ir a la tienda a comprar algún alimento o hacerlo tú misma. Es muy posible que no tengas ni que acercarte: tu pequeño te llevará de uno en uno o de tres en tres todos los productos para que los veas, te asombres y sorprendas de todas las cosas que hay en la tienda.

Aprovecha para enriquecer su vocabulario al nombrar todo lo que te ofrece y dile que te traiga un determinado objeto.

Altas matemáticas

Este juego siempre ha de realizarlo bajo supervisión de un adulto.

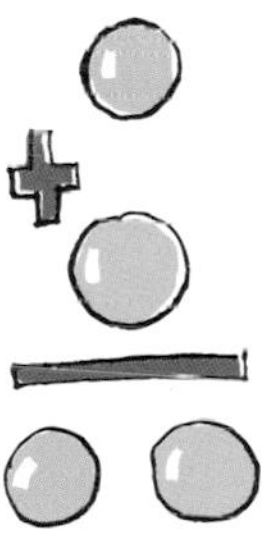

MES 20

Los conceptos básicos matemáticos se establecen en el niño pequeño a través de todos los juegos de puzles y piezas para encajar. Por otro lado, para un correcto aprendizaje de la escritura y la lectura, necesita una óptima coordinación visomotora y conseguir descubrir el seguimiento lineal de izquierda a derecha. Ofrece a tu hijo una bandeja de bolitas de hielo y un cuenco para que pueda depositarlas. En el caso de no encontrar nada parecido, coge un cartón de huevos y unas bolitas que quepan en los huecos. Cuando el niño haya sacado las bolitas, intenta que las coloque en los huecos de la bandeja. En principio, deja que lo haga sin regla y, poco a poco anímale a rellenar la bandeja de izquierda a derecha. Más tarde, le puedes enseñar a colocar las filas por colores sin preguntarle el nombre de éstos, simplemente colocando los que son iguales.

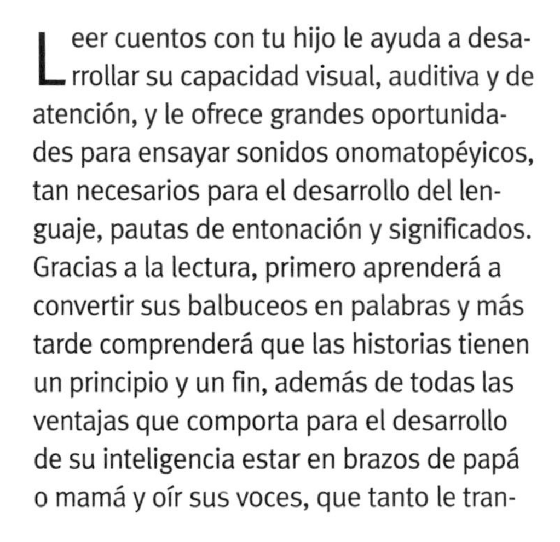

3 Un libro para inventar

Leer cuentos con tu hijo le ayuda a desarrollar su capacidad visual, auditiva y de atención, y le ofrece grandes oportunidades para ensayar sonidos onomatopéyicos, tan necesarios para el desarrollo del lenguaje, pautas de entonación y significados. Gracias a la lectura, primero aprenderá a convertir sus balbuceos en palabras y más tarde comprenderá que las historias tienen un principio y un fin, además de todas las ventajas que comporta para el desarrollo de su inteligencia estar en brazos de papá o mamá y oír sus voces, que tanto le tranquilizan. Si el cuento además tiene un pequeño personaje al que puede meter y sacar de la camita o pasear en coche, la actividad es más completa, pues tu pequeño tendrá que colocar con sus manitas un pequeño muñeco en un lugar determinado y así adquirir una mayor destreza. Los libros interactivos proporcionan al niño nuevas y diferentes oportunidades para el desarrollo de la creatividad y para inventar historias en las que los protagonistas se salen de su marco y recorren nuevos horizontes.

Un equipo muy creativo

El niño, durante el juego, debe experimentar por sí mismo y hacer sus propios descubrimientos. Todos aquellos juguetes que son sofisticados, a los que denominamos «juguetes para padres», no dan el rendimiento suficiente para el pequeño, por lo que en poco tiempo tu hijo los abandonará en un rincón de su habitación. A tu pequeño le gustarán piezas grandes para construir torres altas que luego podrá derribar y que además podrá desmontar y montar una y otra vez. En el caso de que no encuentres ladrillos o cubos grandes para apilar, ofrécele cajas de zapatos, galletas o colonias, que más adelante se convertirán en altos edificios, en un tren con muchísimos vagones o incluso en tambores para un batería muy especial. Procura no intervenir en el juego del niño ni para ayudar ni para imponer tus propias ideas. Tan sólo acompáñalo en su juego e intervén sólo si él te invita.

5 Un mundo en colores

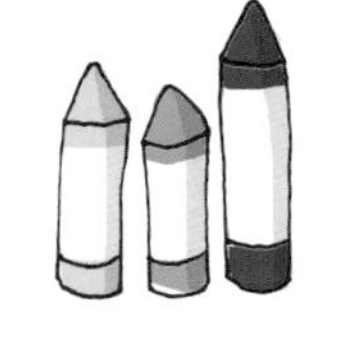

Tienes en casa a un pequeño artista que disfrutará realizando trazos sobre papel con ceras de colores. Es importante que no le impongas tu criterio de adulto a la hora de plasmar su idea. Tal vez el niño trate de dibujar una ballena y en su intento sientas el impulso de guiar su manita para hacer el contorno del animal. Tu actitud le haría sentir que la versión que él dibujó es realmente inferior a la tuya y se sentirá frustrado. La próxima vez posiblemente te ofrecerá el lápiz y te dirá: «Dibújame un sol». Es recomendable que dibuje junto a los amigos, ya que así podrás explicarles que las pinturas se pueden compartir. Es normal que a esta edad tu bebé quiera coger varias pinturas en ambas manos; al fin y al cabo quiere que todo sea «MÍO». Poco a poco, cuando madure socialmente, cogerá las ceras de una en una.

Tu hijo de veintiún meses

1 Canto con mi cuerpo

El lenguaje se aprende por medio de unas conexiones sinápticas específicas en el cerebro y sólo se adquiere en la primera infancia y en contacto con los padres o personas cercanas. Comienza con los sonidos (ver *Todo un mundo de sensaciones,* Ediciones Pirámide); de ahí la importancia de los juegos sonoros con ritmo. Es conveniente cantar canciones unidas a gestos para que, de esta manera, el niño aprenda a distinguir, diferenciar y reconocer la percepción global de las relaciones de equivalencia y orden. Con un aro o una pulsera, enseña a tu pequeño las partes del cuerpo a la vez que cantas una canción:

(nombre del niño) pequeño baila,
baila, baila, baila.
(nombre del niño) pequeño baila,
baila con los pies.

Puedes ir cambiando la última palabra por diferentes partes del cuerpo. El niño tendrá que atender y esperar que llegue el momento para saber dónde colocar el aro.

Jugando con las formas

El juego es vital en el desarrollo global del niño. No hace falta que le enseñes cómo explorar y disfrutar del mundo; él posee este conocimiento, que es la base de su juego, especialmente durante sus dos primeros años. No es necesario que te preocupes y trates de forzar a tu pequeño para que aprenda todo cuanto antes. Lo importante no es su edad, sino si realmente está preparado para pasar a la fase siguiente con respecto a sus actividades creativas. Si al comenzar un juego nuevo demuestra un interés entusiasta, sabrás que tu hijo está preparado. Si el pequeño muestra interés en un juguete que no es para su edad, no importa, déjale que desarrolle su creatividad realizando juegos diferentes de lo que las reglas marcan. No permitas que tire las piezas, pues esto no es un juego. El hecho de que se dedique a lanzar partes del juguete significa que todavía su interés está en estudiar el espacio; si es así, ofrécele una pelota y un barreño grande para que juegue a lanzarla e introducirla en él.

3 Haciendo amigos

La relación de causa-efecto le dará al niño la oportunidad de descubrir qué causa produce un efecto; así sabrá, después de varias pruebas, que si aprieta un interruptor se encenderá la luz. A esta edad comienza a tener conciencia de la propia capacidad. Le gustan los rituales y repetir situaciones con las que se siente seguro porque sabe con antelación lo que va a ocurrir. Es importante, también, el juego junto a otros niños, pues de hecho a esta edad se establecen las bases del juego participativo. Lo normal es que cuando comienzan estos juegos en común se produzcan peleas o rabietas. Por ello, hay que procurar tener un juego igual para cada niño y que éste sienta cerca la figura de mamá o papá, que le darán seguridad en estos primeros pinitos sociales. Ofrece al niño una caja de cartón con un agujero y un palo donde podrá meter anillas.

Este juego le gustará, y será una gran oportunidad para aprender a concentrarse y a ensayar la coordinación de las manos y los ojos.

Pensar a través del tacto

Si el niño puede jugar y desarrollarse solo, nosotros los padres nos preguntamos: entonces, ¿qué hacemos? Nuestro papel de acompañantes es realmente determinante. Estando cerca de él le proporcionamos el estímulo que necesita, la seguridad que le ofrece nuestra presencia y además podemos ampliar su horizonte y crear y rodearle de una atmósfera de amorosa aprobación para todos sus esfuerzos creativos. Utilizaremos diferentes materiales, como papel pinocho, celofán, de aluminio, seda e incluso plástico de burbujas. El pequeño artista creará e inventará mil y una actividades, desde romperlo, arrugarlo o colocárselo en un pie o en la cabeza hasta pisarlo o amontonarlo. Cualquier cosa es admitida con tal de que se le ocurra a él. Explícale: «Hoy vamos a jugar con lo que hay en esta caja», y poco a poco vas sacando junto a él todos los tipos de papeles.

El niño, un ser eminentemente sensoriomotor, se sentirá atraído por los diferentes sonidos que producen, su consistencia y su textura.

5 Leyendo con mamá

A través de la atención, comienza el procesamiento de la información sobre el mundo; de ahí su importancia en la infancia (García Ogueta). La atención está ligada a la actividad perceptiva del niño. Su posibilidad de relación con el medio ambiente es la percepción, fundamentalmente, y a esta edad es visual y auditiva. Si tienes presente este concepto al compartir un libro interesante y sencillo con tu pequeño, tienes asegurada la prevención del fracaso escolar, ya que conseguirás que el proceso de desarrollo de la atención sostenida de tu hijo, tan importante para el aprendizaje, sea el adecuado. Si este proceso lo acompañas con un profundo afecto contándole el cuento con palabras sencillas, tono ameno y señalando lo que veis, seguro que pasaréis un momento tan agradable que él nunca lo olvidará, y tú le habrás guiado para que en el futuro pueda aprender con facilidad nuevos retos.

Tu hijo de veintidós meses

1 La caja de música

La exploración sonora le sirve a tu pequeño para enriquecer la capacidad de discriminación auditiva e interrelacionarla con la percepción visual y analógica del desplazamiento temporal y espacial del sonido. La calidad de estas experiencias dependerá de las diferentes maneras de percibir el mismo fenómeno. La percepción está relacionada con la audición sonora y musical y precisamente con la «escucha». No es lo mismo oír que escuchar. El niño puede OÍR, pero cuando presta atención y por medio del oído registra y percibe lo que oye, entonces decimos que el niño ESCUCHA. Es bueno tener preparada una bonita y colorida caja de música donde habrás metido diferentes instrumentos: cascabeles, una trompeta, un giro, unos platillos, sonajeros, maracas, un xilófono, un acordeón, una campana y otros objetos sonoros. Deja que el niño coja los objetos, experimentando sin interrumpirle y sin indicar cómo debe usarlos. Después puedes demostrarle cómo y así tendrá la posibilidad de imitarte. Se trata de compartir un momento social agradable entre todos.

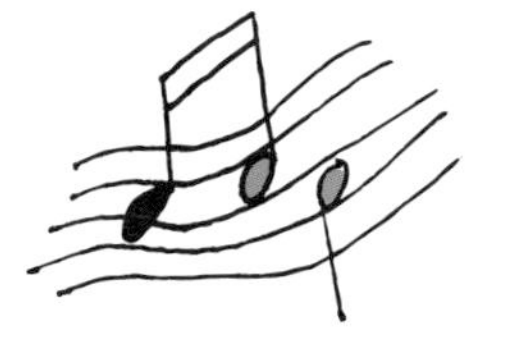

El gusanito de la selva

El tiempo va pasando y tu pequeño cada día maneja mejor sus manitas y sus dedos. Ahora que ha adquirido mayor destreza en la utilización de éstas, es el momento de afinar, sincronizar y conjugar el movimiento de ambas manos con los ojos. En estos momentos necesita juegos en los que tanto los ojos como las manos formen un buen equipo y fomenten la segmentación de los dedos para que su motricidad fina sea cada día mejor. Comienza ensartando piezas redondas en limpiapipas, ya que al ser más rígido le facilitarás el trabajo. Cuando haya dominado esto, entonces prueba con un cordón y poco a poco con piezas más irregulares y diferentes. Cuando el niño consiga meter las bolas y veas que se ha cansado del juego, entonces coges el cordón por un extremo y lo agitas suavemente como si fuera una serpiente.

Puedes inventar un bonito cuento sobre la serpiente o gusanito que andaba por la selva.

3 La llave de la perseverancia

El niño no aprende de nuestras experiencias. Debe aprender de las suyas propias. Lograr sus propios éxitos y cometer sus propios errores. No podemos evitarle los golpes de la vida, y es importante que no lo intentemos. Son una parte importante del desarrollo; por eso hay que ofrecerle siempre trabajos que sepamos que podrá realizar y para los cuales está capacitado. Demuéstrale tu confianza en su capacidad y así habrá aprendido que la perseverancia conduce al éxito. Busca un juguete sencillo que tenga llaves para introducir en la cerradura de una puerta. Dentro has de meter algún objeto que sea atrayente para tu pequeño. Introduce la llave en la cerradura, abre la puerta y muéstrale el juguetito de dentro. Luego cierra de nuevo y déjale a él solo para que lo abra. La dificultad de este juego radica en que para introducir la llave ha de colocarla correctamente, pues no entra de cualquier forma; luego, sujetándola, ha de girarla y tirar para abrir la puertecilla y obtener la recompensa.

El oso amoroso

Nuestros sentimientos nos ponen en contacto con el mundo. Nos indican lo que deseamos o lo que no nos gusta. La simpatía y la antipatía designan los dos extremos de nuestros sentimientos. No deberíamos ver la simpatía como algo positivo y aceptable y la antipatía como un sentimiento negativo e inaceptable. Ambos nos pertenecen y son necesarios para nuestro bienestar. El bebé muestra esencialmente simpatía hacia el mundo, de modo que su llanto probablemente sólo tiene por objeto atraer la atención de los padres, pues se siente infeliz cuando no la recibe. La atención de los padres reafirma al niño en su percepción de que el mundo es seguro y benevolente. Jugar a dar amor a los peluches es una forma de maduración afectiva en el desarrollo de tu pequeño. Ofrécele un peluche suave o que sepas que es su preferido y coge tú otro y, abrazándolo, juega a que lo duermes. Luego podéis acostar al muñeco en una caja de zapatos y con un trapito taparlo para que se vaya a dormir.

Este juego es importante para que tu pequeño pueda proyectar sus emociones positivas y negativas sobre sus peluches.

5 Jugar a papás

Al niño pequeño siempre le impresiona todo lo que le rodea e imita las acciones de sus padres y compañeros de juegos de forma espontánea. La imitación es un aspecto fundamental de su desarrollo, es su forma de aprender y practicar nuevas habilidades. También la conducta de otros le afecta, y su modo de enfrentarse al mundo dependerá de estas primeras influencias. Jugar a papás y mamás es muy importante para tu pequeño, pues tiene la oportunidad por un tiempo de asumir el papel de los adultos. Con este juego el niño participará con otros niños enriqueciendo su repertorio de acciones para imitar, conocerá el nombre y la utilidad de objetos cotidianos y desarrollará conductas positivas y afectivas proyectando y canalizando a través del juego las vivencias que ha experimentado durante el día. Los juguetes para utilizar serán indistintamente tanto para niños como para niñas.

Tu hijo de veintitrés meses

1

Viajando por las alturas

Los niños necesitan moverse por sí solos para entender los conceptos de distancia y dirección. Las habilidades necesarias para comprender la idea del espacio se desarrollan con mayor lentitud y con actividades del tipo: escoger un camino para llegar desde el salón hasta la cocina. La distancia se comprende cuando sabemos el tiempo que tardamos en ir de un lugar a otro. Los juegos serán aquellos que además de mejorar la coordinación y el equilibrio fomenten estos conceptos.

Podemos utilizar ladrillos con picas (se pueden adquirirse en tiendas de artículos para psicomotricidad) o recurrir a cajas duras y fuertes que soporten el peso del niño con unos cordeles para ir «de excursión por la casa» en compañía de mamá o papá.

¿Quién dijo miedo?

2

A los niños les gusta reptar, gatear, arrastrarse por diferentes sitios. Los espacios semicerrados tienen un magnetismo especial que les encanta a los pequeños. Se puede improvisar un juego con una sábana de muchos colores. No importa que el espacio resultante sea estrecho, pues ello formará parte de la diversión y del objetivo que queremos conseguir: controlar los miedos, canalizando las fantasías que les provocan. Los miedos suelen ser a la oscuridad, al lobo y a los monstruos. No subestimes sus miedos: para él son reales. Habla con el pequeño sobre sus temores y pregúntale dónde están: eso le hará sentirse mejor. Escóndete junto a él en la cabaña, haz como si cogieras «el objeto de sus miedos» y échalo fuera o dile que ha salido volando por el techo; ya no hay nada que temer.

Se puede repetir el juego las veces que sea necesario.

El tren baby bollo

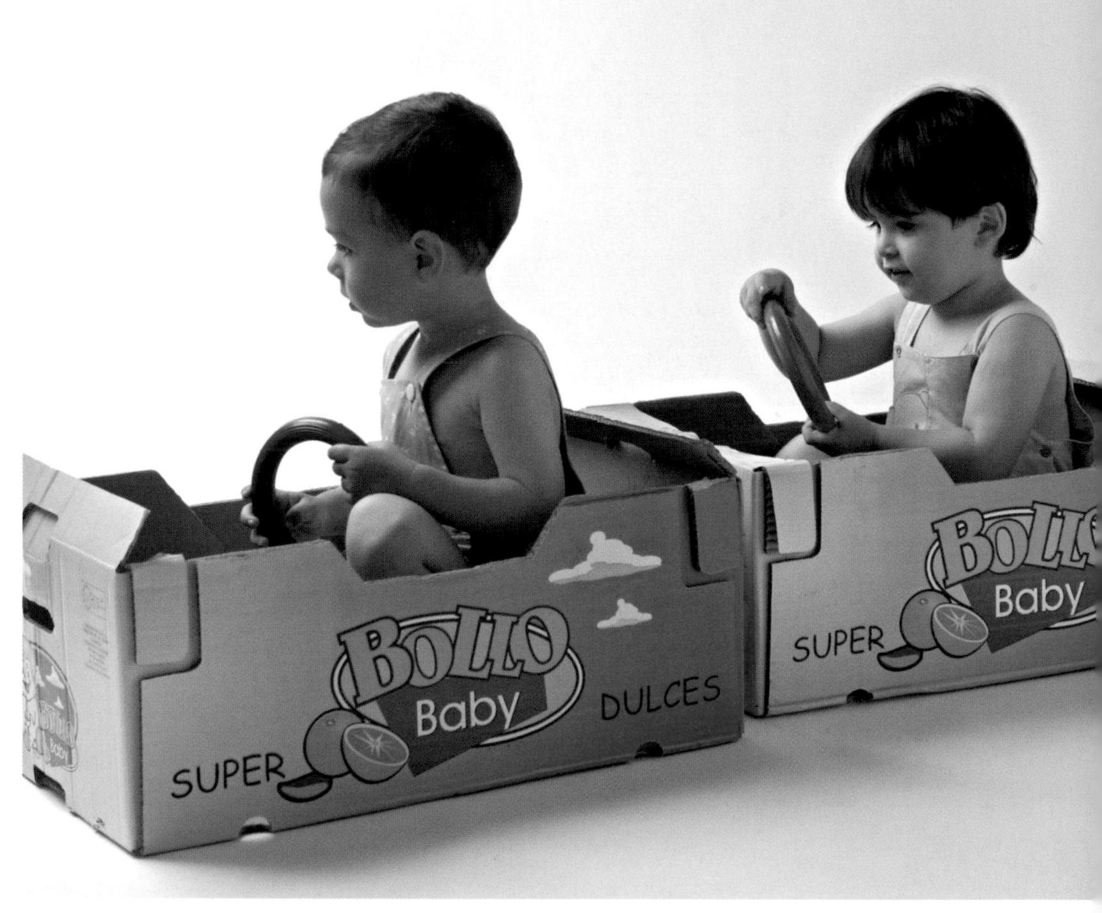

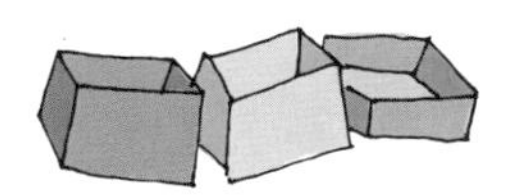

Si tú le animas con la canción y moviendo tu mano diciendo: «adiós», estará más que encantado.

El niño pequeño busca, a través de la diversión o del juego, experimentar y aprender para llegar a comprender cómo funciona la vida. El juego es en realidad su trabajo, y desarrolla su personalidad a través de su corporalidad. Es bueno que los padres hagan todo lo posible para procurar un entorno y objetos adecuados para que pueda ejercitar su motricidad e ingenio y así obtener un saludable desarrollo físico, mental y afectivo. Con unas cajas grandes de cartón la diversión estará asegurada. A los chiquitines les encanta entrar y salir de ellas o meter y sacar juguetes; también inventar que se van de viaje en un tren o jugar «al coche de papá» con un estupendo volante en la mano.

Hoy comemos con los macarrones

4

En los grupos de juego intentamos realizar actividades que estén relacionadas con lo que sucede en la casa, como una continuidad; esto facilita mucho la sociabilidad del pequeño, ya que además de compartir la actividad se enrollan contando sus historias. ¿Qué puede haber más atractivo para un niño que encontrarse cada día con una escena distinta en la que él puede jugar a sus anchas recurriendo a su imaginación a la vez que está convencido de que ayuda en las tareas de la casa? Con una fuente grande, un montón de macarrones coloridos, cuencos y palas, vamos a contribuir a que desarrolle la idea de trabajar con la finalidad de alcanzar un objetivo claro: hoy todos a comer macarrones. En la tarea también conseguimos que mejore rápidamente el control de sus manos.

5 Hacer «como mamá»

El baño es un momento delicioso tanto para tu hijo como para ti. Disfruta con él, no tengas prisa. ¡Hay tantos juegos que realizar en el agua! Utiliza toda tu creatividad con vasitos, tazas, animalitos de goma, libros de plástico, figuras que se puedan pegar en los azulejos, traspasando agua de un lado a otro... Abrázale al sacarle del agua y ponle una crema con suaves masajes sobre su cuerpo y pies. Puedes poner alguna música relajante o cantar si se te da bien. Es el momento oportuno para tenerle abrazado con mimos y caricias antes de acostarle. Verás qué prontito imitará con sus muñecos todo lo que tú haces, ya que a esta edad los pequeños quieren ser exactamente como mamá.

Tu hijo de veinticuatro meses

1

Operación derribo

Los primeros bloques de construcción los pequeños los utilizan para apilar y derribar. Escoge bloques de material adecuado, como por ejemplo gomaespuma, ya que son grandes pero livianos y de fácil manejo, de diferentes formas y colores y cómodos para apilar y derribar. El mayor placer del niño será derribar los bloques para construir nuevamente (noción de objeto permanente). Mediante la construcción, el pequeño se apropia del juguete y se diferencia de él, se reafirma en que el juguete **no es él,** sino que **es de él.** Es un concepto de vital importancia, y su descubrimiento le producirá una profunda satisfacción. No se debe ni interrumpir ni prohibir que derribe las torres que construya. Se puede volver a montar las veces que se quiera y también es un juego muy socorrido cuando hay varios niños juntos.

El cofre del tesoro

Puedes llenar unas cajitas de colorines con diferentes juguetes para que tu hijo busque la sorpresa que hay dentro. Le puedes decir «La pelota está en la caja roja y el cochecito en la amarilla; a ver ¿dónde está?». También se pueden utilizar las cajas para que tengan distintos sonidos. Una de ellas puedes llenarla con garbanzos y la otra con cascabeles. Este juego potencia la toma de conciencia infantil respecto a la existencia independiente de los objetos. Promueve el desarrollo de la audición y el lenguaje. Luego déjale experimentar con las cajas, es probable que en principio las apile de cualquier manera hasta que descubra que hay distintos tamaños y lo haga correctamente. El niño asimilará muchos principios elementales de las matemáticas, aunque sin entender el sentido formal.

Un cuento para soñar

El niño ya es capaz de manipular a la perfección libros de todos los tamaños, dar vuelta a las páginas con gran destreza e inventar juegos como esconderse detrás de ellas. Le resultará divertido un cuento bien grande con muchas figuras y referente a temas cotidianos de la vida del niño, como el baño, las comidas o la hora de ir a dormir. Al contarle el cuento, puedes utilizar escenas bonitas que hayan pasado durante el día; debes leerlos siempre en su cuarto, con las cortinas cerradas y con su chupete o muñeco preferido, explicándole que ahora todos vais a dormir. Le adviertes que al acabar el cuento se apagará la luz y hay que dormir, pues mañana iréis de paseo.

Explícale de una manera atractiva la actividad que vayáis a realizar.

Niño pensando

Puede ser una casa donde se desarrollan los acontecimientos diarios sobre la cual podéis establecer una divertida tertulia.

Los puzles sencillos mejoran la conciencia espacial del pequeño y desarrollan la capacidad de reconocer y diferenciar formas y encajarlas entre sí. La práctica de esta actividad es una buena preparación para aprender a leer cuando llegue el momento. Es importante que las piezas del puzle se encajen bien y que tengan un tirador para poder levantarlas con facilidad, de modo que evitemos que el niño se aburra en el intento. Para establecer una buena relación con el mundo que le rodea y fomentar el lenguaje, es conveniente que las escenas del tablero sean de la vida cotidiana del pequeño.

¿Un pequeño Picasso?

El objetivo principal que buscamos con este juego es querer despertar la chispa de la inspiración en el pequeño. A los dos años su estilo será más bien libre, y sus manos se moverán de aquí para allá, haciendo trazos, ondas, círculos. Dale la oportunidad para que pueda estar frente a un papel gigante con pintura de dedos y un bote donde pueda hundir las manos y luego embadurnarse el cuerpo y el papel. Para él lo más importante será explorar con la mezcla de los diferentes colores y texturas. Todavía está en la etapa de la experimentación más que en la de creación del dibujo. No busques interpretar su primera «obra de arte»: simplemente admírala, y así tu pequeño artista continuará expresándose con sensibilidad.

Resumen del segundo año

De 12 a 18 meses	De 18 a 24 meses	
Camina solo con cierta seguridad y con bastante velocidad. Aprende a ponerse ropa sencilla. Los movimientos de sus brazos y piernas son más coordinados que los de sus manos y pies. Tiene mayor dominio sobre sus dedos. Coloca tres cubos uno encima del otro y mete pequeños objetos en botellas. Comienza a hacer garabatos. Le gusta terminar su juego; es conveniente aprovechar este momento para habituar al niño a que se sienta a gusto por terminar lo que ha comenzado.	Hay un mayor equilibrio en todos sus movimientos. Es más fuerte y flexible, por lo cual corre, sube escaleras, salta, baila, aplaude, parlotea. Mastica automáticamente. Construye torres de seis cubos, corta con tijeras, imita trazos horizontales, construye trenes con cubos.	**Su motricidad**
Aparece la inteligencia práctica al manipular objetos y explorar espacios. Señala multitud de cosas en la realidad y en los dibujos. Hace torres de cuatro cubos. A la expresión del lenguaje el niño accederá por la imitación y el simulacro (acto sin objeto real).	Termina el predomino de la inteligencia sensoriomotora y comienza la inteligencia representacional, por lo cual aparece la función simbólica, el juego «como si». Al esconder un objeto lo encontrará teniendo en cuenta tanto los desplazamientos visibles como los invisibles. Ha logrado la «conservación del objeto». Imita un modelo que no está presente. Su vocabulario aumenta en 30 palabras. Expresa sus necesidades.	**Su inteligencia**
El niño comienza su andadura hacia el conocimiento de sí mismo. Para integrarse a la sociedad es conveniente que tenga un concepto muy claro de su propia identidad. Comienza a reclamar lo que le pertenece: «mío, mío». Distingue entre «yo», «tú», «mío», «tuyo». Su atención ya no está tan concentrada sobre sí mismo, sino que se dirige hacia los objetos.	Se reconoce a sí mismo ante el espejo. Ha incrementado las actividades por su cuenta y colabora con el adulto a la hora de vestirse y en los quehaceres diarios. Utiliza la cuchara, por lo que come y bebe solo.	**Su vida social**
Un trocito de papel pinocho Un trocito de papel de seda	Un trocito de papel de aluminio.	**Recuerdos de sus juegos con papá y mamá (recorta y pega)**

Anota sus pequeñas anécdotas cotidianas

Pega aquí la fotografía
de tu hijo

El tercer año en la vida del niño

El tiempo pasó volando..., y

---

ya se ha hecho muy mayor, o al menos eso es lo que comenta la familia.

No obstante, nuestro pequeño no es un «niño grande», sólo es un «bebé grande» con todas sus dualidades. A los sentimientos contradictorios del año anterior se le añaden también los celos y la envidia. Es probable que tenga celos de la relación de sus padres, ya que se siente excluido; y aunque no fuera así, su percepción sería ésa. El sentimiento de envidia también podrá complicar esta relación, ya que le resulta muy duro aceptar que es un niño y no un adulto. Esto podrá manifestarse renunciando a que se le enseñen cosas y contestando: «Ya lo sé». El mejor remedio

es jugar con él a los «papás y mamás» de modo que los padres asuman el rol del niño y éste el del papá o la mamá. Este juego, además de divertirle un montón, le ayuda a canalizar sus sentimientos de envidia. Una parte del juego puede ser la imitación que hace de sus padres, pero lo más importante es la imagen interna que el pequeño se forma de ellos, que puede ir desde el padre todopoderoso o el hada buena hasta la bruja o el ogro. Estas imágenes tienen una escasa relación con lo que sus padres son en realidad. También es importante el mensaje que transmiten los padres al niño, los sentimientos reales que existen entre ellos, así como la opinión que tengan la madre del padre y viceversa.

A los tres años el desarrollo de la conciencia moral es muy severo, y aparece el sentimiento de culpa. Como todavía no hay una madurez manifiesta, intenta quitarse esta culpa con «yo no fui», «no es culpa mía». A medida que adquiera madurez querrá reparar el daño que ha hecho en su fantasía o en la realidad y poco a poco irá asumiendo la responsabilidad de sus propias acciones. En este aprendizaje influye la conducta de las acciones de los padres, el ejemplo que éstos dan en la realidad, sus sentimientos y comportamiento tanto en el ámbito familiar como en el social.

La aparición de los miedos está también a la orden del día. La noche aumenta los temores: en el momento de apagar la luz el niño cree que los monstruos se materializan en su habitación. Contra esta angustia irrefrenable, las costumbres cotidianas aportan seguridad y le tranquilizan: la lectura siempre del mismo libro, una canción que se utiliza siempre a la hora de dormir, dejar que tenga siempre el mismo peluche, trapito o colcha protectora.

Habla con él sobre sus temores, pues eso le hará sentir mejor. No se te ocurra decir que los monstruos no existen: para él son reales; recorre la casa con una linterna mirando debajo de la cama, dentro del armario y los cajones para que vea que no pasa nada. Si después de todo él insiste en la existencia de los monstruos, pregúntale dónde están. Haz como si lo cogieras y lo tiras por la ventana o le echas de la casa por la puerta de entrada. Para aliviar estos temores y sentimientos de celos, envidia, etc., el juego es el mejor aliado. A través de él adquiere conocimientos y canaliza y maneja sus abrumadoras contradicciones. En el juego el niño tiene permiso para expresar lo que siente y poco a poco superar los conflictos. Además, con ingenio y rápidamente puede reparar cualquier daño que cree haber causado. Es como una solución mágica, y le da esperanza poder reparar también sus relaciones familiares. Cuando sea capaz de decir: «Yo sólo he tenido malos pensamientos pero no he hecho nada malo», habrá dado un paso gigante en su maduración.

En esta etapa el progreso mayor se puede observar en su juego simbólico, ya que pasa de jugar aisladamente con los objetos —bebe en la taza o da de comer a la muñeca— a realizar toda una secuencia de acciones de juego simbólico como organizar una pequeña reunión para tomar el té con unas amigas. Es un progreso importante, ya que es capaz de distinguirse de los demás, comprende cómo se puede poner en la situación de su madre o bien hacer lo opuesto a lo que ella hace. Además, con este progreso en su pensamiento es capaz de poner a su muñeca en el lugar de un compañero más de juego. Así hará que su muñeca atrape la pelota que alguien lanzó. A los tres años su mayor preocupación, la que ocupa la mayoría de su tiempo, es poder descubrir la diferencia entre su mundo imaginario y el mundo real.

Por eso es tan importante dejar al niño jugar, jugar y jugar, y no sólo no interrumpirle cuando lo hace, sino ayudarle a descubrir el placer y el autoestímulo en su juego.

Mamá se cuida

El cuerpo de la mamá en el tercer año de vida del niño

Nuevas formas de conectarte con tu cuerpo

Si has explorado tu cuerpo con las ideas que te fui proponiendo, notarás que tu sensibilidad se ha incrementado y tal vez haya influido en tu manera de conectarte con tu cuerpo, de sentirlo, de pensarlo. Seguramente has aprendido a experimentar con tus movimientos, con tus posturas, a jugar con tu cuerpo; de eso tratan estos trabajos, de generar en ti una actitud lúdica y no prejuiciosa.

Imagino también que tendrás ahora un lenguaje más rico para referirte a tus sensaciones, a tus vivencias. Cuando le preguntas a la mayoría de las personas cómo sienten sus cuerpos, ellas suelen responder: bien, mal, normal. Expresiones pobres para abarcar la multiplicidad de estados que ahora tú registras.

Has descubierto infinidad de sensaciones durante tu actividad corporal: roces de la ropa, presiones del suelo más o menos intensas según las posturas, temperaturas que tal vez diferían en varios momentos y zonas corporales, volúmenes de los huesos, las sensaciones de los movimientos respiratorios, más claras en algunas partes que en otras. Has aprendido a contactar de modo consciente contigo y con otros cuerpos a través de algunos elementos, y probablemente te será posible incorporar más registros sensibles a tu lenguaje, cuando pienses, sientas y hables de tu cuerpo.

Registrar las sensaciones sin juzgarlas

La exploración a la que te invito en los capítulos anteriores es para que les prestes atención a tus sensaciones y no para que las juzgues como buenas o malas. Tal vez éste sea uno de los más importantes aprendizajes de los trabajos corporales que expongo. Bueno y malo son dos extremos que no expresan las modulaciones de nuestros cuerpos ni su riqueza.

Si tocas tu vientre, por ejemplo, como sugiero en alguna propuesta, no es para que saques rápidas conclusiones sobre su estética, sino con el deseo de que te conectes con esa parte de tu cuerpo y la disfrutes, para que estés sensible a ella y a una estética más profunda que la muscular. Es el lugar donde creció tu bebé y te puede deparar sorpresas gratas si aprendes a estimarlo. Ésta es la actitud, la disposición que es importante desarrollar y la que tienen los verdaderos investigadores.

Ponerte en el lugar de otros cuerpos te enseña sobre el tuyo propio y sobre el de tu hijo.

Aprender a observar con curiosidad, sin juzgar peyorativamente ni esperar resultados concretos, es un aprendizaje básico para tu rol de mamá investigadora. Aprender a mirar cómo otras personas realizan algunos movimientos, tal vez de modos distintos de como los efectúas tú, te enseñará que hay otros caminos posibles para iguales objetivos, por ejemplo: sentarse, levantarse, caminar, asir un objeto, tocar a una persona, saludar, e infinidad de otras acciones. Aprender a observar y tratar de investigar en el propio cuerpo algunas posturas es una manera de aprender a ponernos en los cuerpos de otros, en los zapatos de otros, para comprenderlos mejor y también para investigar nuestros propios estereotipos posturales o de movimiento. Nadie está exento de tenerlos. El artificio que te sugerí cuando te invité a mirar las fotografías del libro y a imitar las posturas de las mamás que veías allí puede ser de utilidad en esta etapa de la vida de tu hijo.

A veces imitas a otras personas de modo espontáneo; llamamos a esto «contagio», y en el caso de la mamá y el bebé, un pediatra muy renombrado, Henry Wallon, lo llamaba «contagio tónico», una manera del contacto consciente.

Puedes observar este «contagio tónico» (en la página 267) donde las cuatro niñas están colocadas dos y dos de la misma forma mientras todas miran atentamente un cuento.

¿No te ha sucedido alguna vez que miras cómo camina una actriz en una película, y cuando sales del cine por un rato caminas como ella? Pruébalo alguna vez. Es un buen ensayo para estimular tu flexibilidad y cambiar alguno de tus movimientos.

Propuestas para nuevas maneras de ejercitar el cuerpo

a. **Jugar a imitar movimientos no es lo mismo que indicarte cómo te tienes que mover.** Si repasas mis consignas de los capítulos anteriores, descubrirás que en ningún momento te digo cómo tienes que hacer tal o cual movimiento. Puedo proponerte que juegues, que experimentes, que investigues, que pruebes a entrar en otros cuerpos, pero no decirte cuándo tienes que respirar o que hagas una flexión para tocar con tus manos los pies. Intento que mis consignas sean abiertas y que puedan ser entendidas «corporalmente» de diferentes maneras según las personas. Estoy segura de que ninguna mamá interpretará mis consignas del mismo modo, y esto es muy positivo. Para esta etapa del crecimiento de tu hijo es valioso que te impregnes de esta manera de plantear el trabajo corporal. En otros momentos de la vida tal vez seas tú la que debe dar algunas consignas y seguramente tendrás en cuenta este dato.

b. **La presencia de la mamá en esta etapa.** Te invito a que vuelvas sobre las fotografías que se exponen en el libro para esta etapa. ¿Cuántas veces aparece una mamá en ellas? Cuéntalas. Un par de veces, ¿no es cierto? ¿Qué está haciendo la mamá mientras su hijo juega: se socializa, desarrolla su inteligencia sensoriomotriz, su capacidad de simbolizar? Está cerca pero no encima, está presente pero no invadiendo el espacio de su hijo con su presencia.

c. **Aprender a «no tocar».** En el capítulo anterior te mencioné un concepto que ahora retomo: aprender a tocar es también aprender a «no tocar». ¿Qué significa aprender a no tocar? Cuando definí el contacto consciente, recordarás que comenté que este tipo de contacto te invitaba a tocar «a través» de un objeto, de una pelotita de tenis, de un globo. Aprender a no tocar significa, entre otros significados posibles, aprender a «tocar a distancia», percibir cuándo no conviene tocar, cuándo sólo es necesario «estar presente». En la página 282 puedes observar cómo en este juego la madre no interviene; simplemente está ahí, está presente.

d. **Ejercitar la presencia.** Si has asistido a un concierto, habrás captado el momento en el que el director de una orquesta, el pianista, entran en el escenario. El público puede estar conversando, desatento, pero cuando aparecen estas personas se produce un efecto sobre la atención de los espectadores. Por lo general, se hace un silencio en la platea y el público dispone «su presencia» ante la «presencia del músico», incluso antes de que éste entre en acción. Es lo que denomino el «cuerpo artista», al alcance de cualquiera que lo intente de modo consciente. Te doy una receta que no falla. Tú ya has trabajado con tu pareja aquello de mover la ropa sobre el cuerpo, de deslizarla sobre la piel, y habrás comprobado sus efectos, cada vez diferentes. Te propongo algo parecido a esto. Ponte de pie; no es necesario que lo hagas frente a un paisaje bello, aunque ayudaría; puede ser en el centro de una habitación. Comienza a notar la ropa que cubre tu cuerpo, las texturas suaves, ásperas, el espesor fino, grueso y todas sus variantes, su peso, su temperatura. Poco a poco trata de sentir que hay una parte de la tela que toca tu cuerpo y otra que da hacia el exterior, en contacto con el aire. Desperézate con esta sensación de la cara interna de tu ropa y de su cara externa, que es la que puede hacerte sentir la presencia del aire. Imagina que te desperezas en un escenario y varía todo lo que puedas tus modos de desperezarte. Se trata de una coreografía «natural», en la que hilvanas diversos modos de desperezarte.

e. **La expansión de tu cuerpo. Vuelve a la quietud.** No te dejes arrebatar las sensaciones de este momento por ninguna demanda que te distraiga de tu cuerpo. Quédate de pie, así, por unos minutos, sin perder la sensación del aire a tu alrededor. Trata de registrar la distancia desde tu cuerpo hasta las paredes, el techo, y si no hay ni paredes ni techos, proyéctate hacia cualquier lugar que localices del paisaje donde te encuentres, calculando las distancias. En primer lugar desde la parte anterior del cuerpo, luego desde la parte posterior, desde los laterales y finalmente desde la totalidad. Presta atención a los apoyos de tus pies. ¿Hasta dónde percibes la profundidad del suelo? El espacio que te rodea es un aliado que te permitirá sostenerte con menor esfuerzo. Basta con que repares en su existencia. Tu cuerpo no termina en el límite de tu piel. Recuerda la presencia del músico en el escenario y su influencia sobre el público antes del concierto. Tú también puedes ejercerla con tu hijo y con otras personas. Decimos que el cuerpo se expande a través de la piel hacia el espacio circundante. Este concepto forma parte de lo que defino como contacto consciente: tocar a través. Cuanto más plena sea tu presencia, más fino será el registro de la presencia de tu hijo y sabrás cuándo y cómo tocarlo realmente y cuándo y cómo «tocarlo» sólo con tu presencia, a distancia, sin interferir en el camino de su autonomía, de su propia presencia.

Tu hijo de veinticinco meses

1 Cerca de mamá

Si te necesita, atiéndelo al momento.

Durante los dos primeros años posiblemente no te parezca tan obvio que tu hijo esté desarrollando su potencial intelectual cada día en su interés sin límites por el juego. Es tan imperceptible cómo el crecimiento de sus uñas. Puedes sentirte tentada de explicar a tu pequeño cómo funcionan todos los juguetes, pero es importante que en algún momento dejes que trate de afrontar un pequeño problema e invente la forma de resolverlo. Es importante que le des seguridad con tu presencia y estés preparada para echarle una mano en el caso de que lo requiera y lo necesite. Muchas veces las madres nos comentan que se sientan a ver la tele mientras sus pequeños juegan cerca de ellas, pero esto no es suficiente, pues tú estás físicamente a su lado pero no te siente cerca. Ofrece a tu hijo algún juego como el de la foto. Es una pirámide en la que las piezas encajan únicamente de una forma, por lo que para realizarlo ha de tener en cuenta diferentes aspectos.

Un tablero colorido

El aprendizaje de los colores, los tamaños y las formas es el que más va a interesar a tu hijo a partir de esta edad por lo que respecta al desarrollo de su inteligencia. Con la adquisición de estos conceptos dará sus primeros pasos en el desarrollo de la percepción visoespacial. Tu pequeño clasificará por colores primero; esto no significa que los conozca, pues al principio simplemente los agrupará para luego reconocerlos. Más tarde puedes jugar con el tamaño ofreciéndole dos que difieran ostensiblemente: el más grande y el más pequeño. Las formas puedes empezar a enseñárselas más adelante comenzando por el círculo, el cuadrado y por último el triángulo. Ya cerca del cuarto año podrá clasificar atendiendo a los tres conceptos: color, tamaño y forma, de manera conjunta. Éste es el momento idóneo para que tu pequeño comience a familiarizarse con estos conceptos que tendrán en el futuro una relevante importancia para el aprendizaje de las matemáticas.

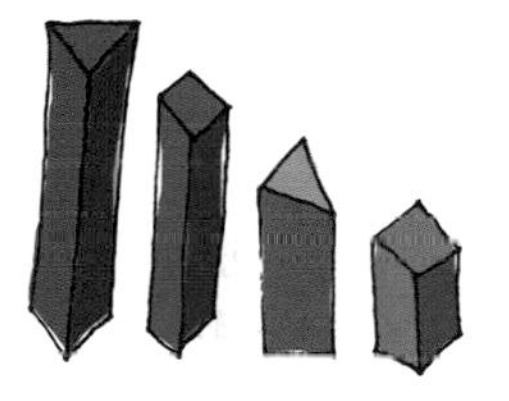

3 El patito feo

Los cuentos transmiten principios y valores para el desarrollo de la inteligencia emocional del niño. El pequeño reconoce los problemas a los que se enfrenta el protagonista y de qué manera resuelve los conflictos internos, las frustraciones, los apegos, los celos y las rivalidades. Crea un sentimiento de responsabilidad moral y ética, fomenta la autoestima y, por ende, **construye su identidad**. Los cuentos plantean problemas existenciales a través de situaciones simplificadas. Los personajes se enfrentan a un hecho en el que aparece el mal y hay que esforzarse para superarlo. Aporta pautas para hacer fácil lo difícil y así el niño asume la vida con la creencia de que puede gestionar cualquier dificultad.

Os proponemos la puesta en escena del cuento *El patito feo* dramatizándolo con un patito y un cisne de cartulina. De esta manera fomentarás el acercamiento del pequeño a la cultura. Podéis recortar juntos figuras de diferentes cuentos, como también elegir distintos relatos.

De compras al mercado

Es imprescindible para el niño vivir la experiencia por sí mismo. Como dijo Jean Piaget (1896-1980): «En cuanto a la experiencia debemos distinguir dos tiempos diferentes, que nos demuestran que un niño aprende muy poco cuando los experimentos se realizan para él, y que es él quien los debe efectuar en lugar de quedarse sentado y observar». Ofrece a tu hijo la oportunidad de aprender con su propia experiencia. Acude al mercado junto a tu pequeño y compra frutas y verduras. Ya en casa, lávalas y vete mostrándoselas una por una diciendo su nombre y alguna característica: esto es un limón y su sabor es agrio, esto un melocotón y su piel es muy suave, esto es una zanahoria y les gusta mucho a los conejos, etc. Deja que las chupe, que intente morderlas o abrirlas para ver qué contienen en su interior. Ayúdale a inspeccionarlas abriendo por la mitad aquellas que no puede examinar solo. Verás cómo disfrutaréis jugando con los sabores, texturas, colores y consistencia de las diferentes frutas y verduras.

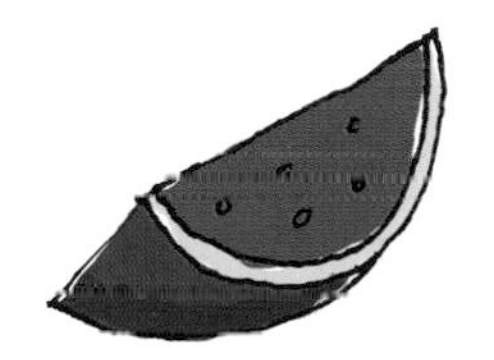

La cocinera

Hacer participar a tu hijo de las pequeñas labores cotidianas caseras le hace sentir que confías en él para la realización de actividades propias de los adultos.
El niño adquirirá confianza en sí mismo de forma que se convertirá en un ser humano: con actitud positiva respecto a la vida aprendiendo a aceptar las críticas y sacando provecho de ellas. Solucionará sus problemas echando mano de sus propios recursos, respetará a los demás y por lo tanto se respetará a sí mismo. En un día de lluvia en que no sepas qué hacer organiza una actividad en la que el niño se convierta en «un cocinero experimentado». Elige una receta de cocina sencilla (véase «Recetas mágicas para jugar», en *Todo un mundo por descubrir*, Ediciones Pirámide) u opta simplemente por hacer un pastel o galletas.

Déjale que bata los huevos, que eche la harina y el azúcar en el cuenco; en resumidas cuentas, que te ayude, aunque deje la cocina patas arriba.

Tu hijo de veintiséis meses

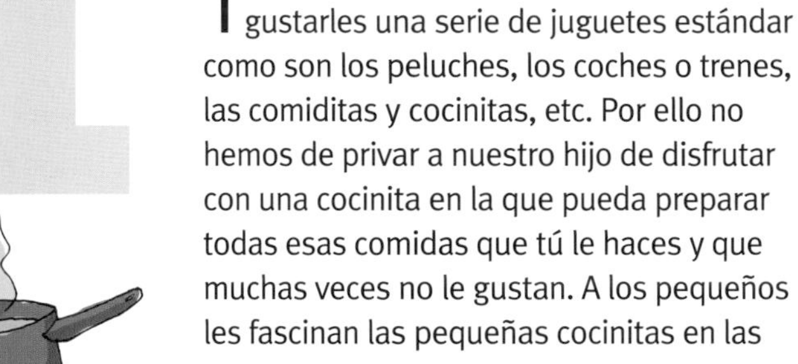

Cocinero a tu cocina

Tanto a los niños como a las niñas suelen gustarles una serie de juguetes estándar como son los peluches, los coches o trenes, las comiditas y cocinitas, etc. Por ello no hemos de privar a nuestro hijo de disfrutar con una cocinita en la que pueda preparar todas esas comidas que tú le haces y que muchas veces no le gustan. A los pequeños les fascinan las pequeñas cocinitas en las que hay platos, cubiertos y cacerolas donde hacer la comida; muchas veces juegan simplemente a meter y sacar los platos, vasos y cubiertos de los armarios hasta que dan con el sitio en que los quieren colocar. En su juego sólo reproducen mediante la imitación lo que ven en casa cada día y no les dejan hacer por ser pequeños.

Un golfista excepcional

A esta edad el niño ya ha adquirido destreza para mover todo el cuerpo. Es hora de afinar sus movimientos gruesos para ir dejando paso a la organización de los miembros por separado. Así, mover los brazos o las piernas en un solo sentido es bastante complicado para tu pequeño. Consigue palos de golf de plástico y una pelota lo suficientemente grande para que le resulte fácil golpearla con el palo. Tal vez tu pequeño al principio golpeará con el palo la pelota por arriba; explícale cómo darle lateralmente a la bola para que ésta ruede por el suelo.
El movimiento lateral para golpear es un reto en el aprendizaje y dominio conjunto e independiente de los brazos con respecto al resto del cuerpo.

Más adelante podrás colocar una caja grande a modo de agujero e intentar colar las pelotas dentro; esta actividad supondrá un dominio mayor del juego y fomentará su autovaloración.

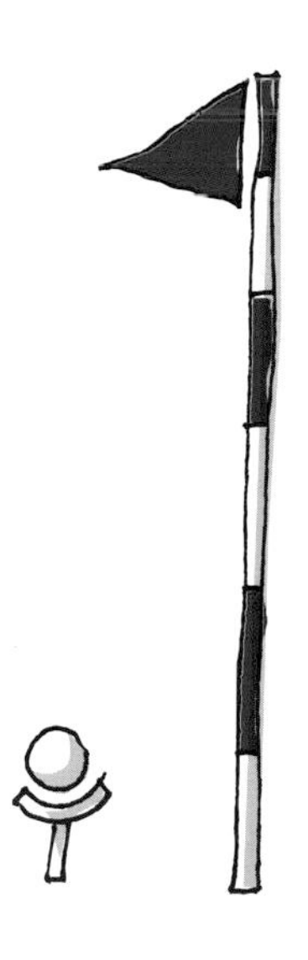

3 El tren se marcha ya...

Escoger los juguetes de nuestros hijos y acertar plenamente es una labor que cada día se torna más complicada ya que existen en el mercado infinidad de aparatos, muñecos, cocinitas... donde elegir. A la hora de hacerse con un juguete hay que tratar de elegir uno que mantenga el interés del niño durante un largo periodo de tiempo y evitar adquirir una gran cantidad que se convierten en objetos de uso efímero. Cuando busques un regalo para tu pequeño no te dejes cegar por una caja grande y aparatosa que en la mayoría de las ocasiones contiene un juguete de escaso valor lúdico; es mejor optar por un regalo pequeño pero bien pensado. Un juguete que funciona siempre con niños y niñas es un tren desmontable. Éste le ayudará a utilizar su sentido común para organizarse y le obligará a planificar su juego antes de comenzar a jugar. Muchas veces es más importante y entretenido el proceso de preparar su pequeño ferrocarril que el juego en sí.

Corta y recorta

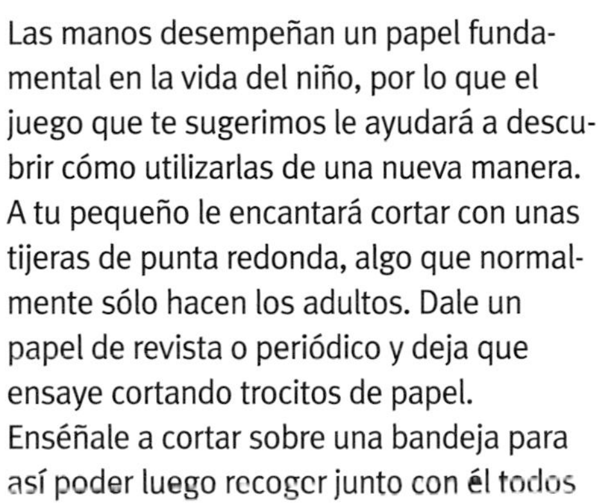

El trabajo con las manos del niño no finaliza cuando el pequeño cumple un año. ¡Nada de eso! Si bien durante el primer año de vida se produce el mayor desarrollo en la posición de las manos, más adelante puedes incorporar nuevas situaciones lúdicas según su edad o su grado de madurez. Las actividades dirigidas a fomentar el movimiento de los dedos y la utilización independiente de las manos junto con la motivación del niño son los pilares que favorecen el desarrollo de la inteligencia.

Las manos desempeñan un papel fundamental en la vida del niño, por lo que el juego que te sugerimos le ayudará a descubrir cómo utilizarlas de una nueva manera. A tu pequeño le encantará cortar con unas tijeras de punta redonda, algo que normalmente sólo hacen los adultos. Dale un papel de revista o periódico y deja que ensaye cortando trocitos de papel. Enséñale a cortar sobre una bandeja para así poder luego recoger junto con él todos los pedazos.

Es posible que quiera exponer su recorte en algún lugar de la casa. Quedará como una obra de arte muy original.

El pensamiento práctico

La inteligencia es saber pensar, pero también tener ganas y decisión para hacerlo. Hoy en día es frecuente confundir la inteligencia con la capacidad para almacenar datos en la memoria. El niño pequeño ha de aprender a pensar de una forma práctica-lógica-racional, y el juego es la mejor manera de conseguir que estas tres consignas se integren. Vosotros los padres podéis ayudarle ofreciéndole objetos y juguetes adecuados a su momento madurativo.

Un juguete con el que tu pequeño podrá pensar dónde y cómo colocar las piezas. Estos juguetes ayudarán a tu pequeño a pasar ciertos momentos del día centrado en un objetivo y así adquirir la concentración necesaria para la realización de este tipo de actividades. En el caso de que tu hijo sea muy inquieto puedes sentarte junto a él y acompañarle durante la realización del juego alentándole cada vez que coloque alguna pieza en el tablero.

Tu hijo de veintisiete meses

1

Crear con papeles

El mural puede adornar por unos días la pared de su habitación.

Es posible que en el juego creativo a tu hijo se le ocurran muchas buenas ideas: transformará un simple pliego de papel en un gorro para pasear, en un vestido de gala, en un moderno cinturón y hasta en una capa de princesa que de repente se convertirá en la de Superman. Ofrece a tu hijo y a sus amigos la posibilidad de entrar en el mundo creativo colocando papeles de seda y pinocho de diferentes colores y anímales a jugar con ellos. Pronto verás cómo inventan disfraces; vale cualquier cosa que inventen: prescinde del mundo lógico de los adultos para mirar con sus ojos. Tal vez rompan los papeles a trocitos y los tiren al aire de forma que por un momento parece que cae nieve de colores dentro de la casa. En otro momento sólo le interesará escuchar el ruido que hace el papel al arrugarlo, que suena como la lluvia al caer sobre el suelo. Después del juego entre todos los recogéis, los metéis en una caja o fabricáis un mural pegándolos sobre una cartulina.

Nos vamos de viaje

Cuando salgáis de viaje, explícale dónde vais y qué vais a hacer para que así se sienta integrado en los acontecimientos de su corta vida.

En algunos casos las familias viven situaciones fuera de lo «normal», como cuando uno de los padres por trabajo pasa algunas temporadas más o menos largas fuera del hogar. En estos casos hay que explicar al pequeño la situación. Y darle una referencia de cuándo volverá el padre o la madre. Es importante que no pienses que al ser pequeño no se entera de nada o que ya está acostumbrado, pues lleva toda su vida viviendo en esa situación. De repente un día caerá en la cuenta de que lo que quiere es que estéis los dos siempre, y entonces habrá que explicarle la situación. Los padres que viajan a menudo, y también los que están divorciados, han de evitar la tentación de llevar regalos debajo del brazo en los reencuentros con sus hijos.

El médico en casa

Según va creciendo vuestro pequeño la dificultad para la elección de sus juguetes crece con él. Entre los juguetes que a todos los niños de esta edad les convendría tener están los clásicos cacharritos para hacer comidas, alguna capa o sombrero para disfrazarse y por supuesto un maletín médico. Tu hijo está descubriendo el mundo, y la visita al médico, aunque sea sólo para una simple revisión, es para él una experiencia que no siempre resulta tranquilizadora. Jugar a los médicos le ayuda a sobrellevar esa experiencia resolviendo sus temores y traspasándolos a los muñecos o a los compañeros de juego. Y a la hora de jugar... ¿quién será el doctor: papá, mamá, el hermano mayor o el propio niño? Deja que escoja el rol que quiere representar; quizá primero desee ser el doctor y luego ser la mamá que lleva a sus hijos a la consulta.

También deja que use los disfraces según su propio criterio, quizá quiera ser el doctor y tener todo el tiempo un bolso en el brazo. En el juego del niño todo vale.

¿Cómo compartir?

4

La generosidad se aprende por imitación en la propia familia.

Hasta el tercer año el niño pequeño necesita jugar en grupo y en compañía de otros niños ; en estas ocasiones los padres pueden estar presentes para jugar juntos y aprender los pequeños trucos de cómo compartir. En un grupo de niños la fuente de conflictos suele ser compartir los juguetes, que normalmente tienen un dueño. Experimentan un sentimiento contradictorio, pues por un lado desean ser generosos con sus nuevas amistades, pero por otro sufren viendo cómo disfrutan los demás con sus juguetes. Para que los niños aprendan a compartir hay que utilizar grandes dosis de paciencia. Lo primordial es no obligar nunca al niño a compartir sus juguetes. Respeta lo que le pertenece y a partir de ahí explícale cómo se siente el otro cuando no le deja sus juguetes; entonces podrás establecer reglas para compartir algunos juguetes, pero nunca su juguete favorito.

5 ¿Le quito el pañal?

El control voluntario de esfínteres es un mecanismo muy complejo que necesita de una maduración neurológica, ya que intervienen una serie de sistemas y órganos, como los músculos, el sistema neurotransmisor, el sistema neurohormonal y el sistema neuromotor. La edad adecuada del control diurno suele situarse alrededor de los 27 meses, y la nocturna, sobre los cuatro años. Cuando el niño esté preparado y tomes la decisión de comenzar el entrenamiento, deberás quitarle los pañales y no volvérselos a poner. Ofrece a tu hijo un barreño con agua y una jarrita para que pueda ver cómo cae el chorrito. Acompáñale con embudos y botellas transparentes. En otros momentos podéis jugar con plastilina. Cuando el niño consigue controlar los esfínteres se produce un enorme cambio en su personalidad.

De golpe se vuelve mucho más seguro de sí mismo e incluso parece estar más tranquilo.

(Véase *Todo un mundo de sorpresas*, Ediciones Pirámide).

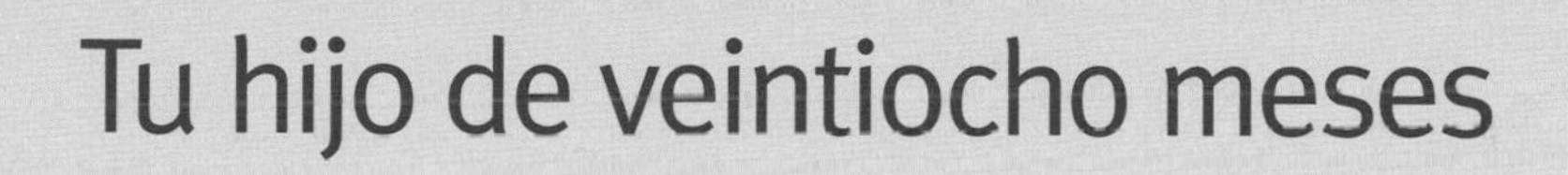

Tu hijo de veintiocho meses

1

La llegada de la cigüeña

Tendrá que aceptar la presencia de su hermano y los cuidados que le prodigas, pero necesitará tiempo.

Cuando esperas un nuevo bebé le puedes comunicar a tu hijo la llegada de su hermano en el momento en que informes a la familia. Entonces hazle partícipe de los preparativos para la llegada del nuevo hermano en el caso de que veas que está abierto a esa posibilidad. Le explicas que irás al hospital por unos días para tener el bebé y que él irá a visitaros. Mientras tanto podrá hacer cosas divertidas con los abuelos o con la persona con la que se quede durante ese tiempo. En el primer encuentro del hermano mayor con el recién nacido en el hospital es conveniente introducir algún regalito para el mayor en la cuna del pequeño y decir que ha sido el pequeñín el que se lo ha regalado. Busca algún momento para disfrutar en la intimidad con tu hijo mayor y realiza alguna actividad que le pueda gustar. Compra un cuento en el que se explique dónde y cómo crece el bebé y muéstrale fotos de cuando estaba en tu tripa o de recién nacido. Recuerda que al regresar a casa tu hijo mayor sólo te desea a ti y no al bebé.

Los pinchitos

Las diferentes grafías tienen una secuencia de movimientos que el niño tendrá que adaptar según los requerimientos, especialmente cuando tenga que escribir. No es lo mismo escribir o dibujar sobre un folio normal que hacerlo en una cartulina. Por lo tanto tu hijo debe tener un control muscular adecuado al lápiz o a los instrumentos utilizados en general. El uso incorrecto de la mano y el cansancio le condicionarán a la hora de realizar la tarea adecuadamente. Practicar con una plancha agujereada y con unos pinchitos de cabeza grande le facilitará la obtención del control muscular de sus dedos, a la vez que se sentirá motivado por los pinchitos coloridos a realizar diferentes figuras y sentirse todo un artista.

3 Un día de pesca

La mayoría de las actividades que llevamos a cabo, por muy breves que sean, exigen el esfuerzo de permanecer atentos durante un cierto periodo de tiempo. Por lo tanto es necesario ayudar a tu hijo a adquirir la «atención sostenida», que se define como la actividad que pone en marcha los mecanismos por los cuales el organismo es capaz de estar alerta durante periodos de tiempo relativamente largos (García Ogueta). A partir de los dos años el niño desarrolla progresivamente un mayor control de la atención siempre y cuando esté motivado con un juego en el que encuentre diversión y así una razón para centrarse exclusivamente en él. Es un trabajo muy arduo para tu pequeño, pero pescar animalitos con una caña provista de imán le resulta fácil y muy divertido, a la vez que mantiene su interés en la actividad.

Bailando con manos y pies

4

MES 28

Al final te pedirá que la repitas una y mil veces.

A esta edad tu hijo sólo piensa en moverse: saltar, trepar, correr, colgarse de una rama, colarse por un agujero... Todo lo que suponga una nueva y cada vez más difícil experiencia motriz es válido para este pequeño ser que tiene un motor inagotable. Ahora también comienza a utilizar sus manos para pintar y modelar con plastilina. Todas estas actividades aparentemente sin orden se pueden organizar mediante canciones en las que el movimiento esté presente y que permitan al niño comenzar a disociar los movimientos de las manos de los de los pies o la cabeza. Una canción que hable de las partes del cuerpo reviste para el pequeño un interés especial pues habla de algo que conoce. Si además de la música y la letra acompañas este festival con movimientos repetitivos convertirás una simple canción en una fiesta en toda regla. Recuerda que los gestos han de ser siempre los mismos, realízalos despacito y dándole tiempo para que los registre; al principio se quedará mirándote, pero cuando hayas repetido la canción varias veces verás cómo hace intentos para imitarte.

5 Para chuparse los dedos

Cada vez se acepta más el hecho de que el juego libre, con lo que supone de uso de la fantasía, aporta mayores beneficios que aquellos que están previamente determinados. A los niños el juego libre les proporciona una mayor concentración y un mejor desarrollo del lenguaje; además les ayuda a desarrollar una capacidad superior a la hora de solucionar problemas, lo que forma parte de su proceso de aprendizaje. El tiempo pasa y poco a poco nos hacemos más conscientes de que nuestros pequeños no necesitan tantos juguetes como nos podría parecer. Lo que los niños necesitan son herramientas y utensilios para favorecer su entrada en el mundo de la imaginación. Sólo entonces les habremos ayudado proporcionándoles algo para crear, algo que no está acabado. Compra unas cartulinas grandes y anima a tu hijo a pintar con botes de sirope de fresa o chocolate. Luego podéis adornarlo con bolitas de colores de caramelo. Siempre resultará un juego para «chuparse los dedos».

Tu hijo de veintinueve meses

1 Los bloques lógicos

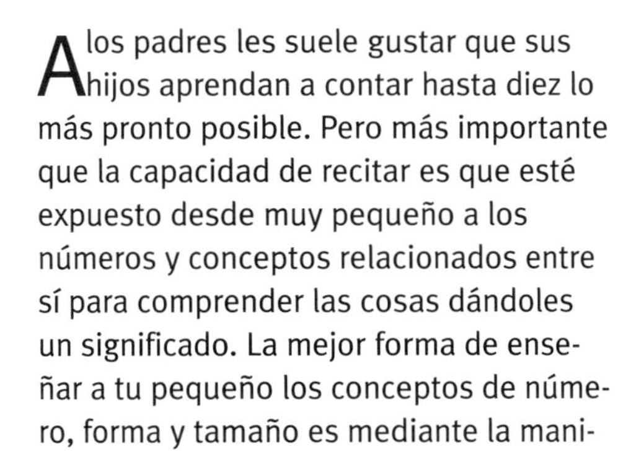

A los padres les suele gustar que sus hijos aprendan a contar hasta diez lo más pronto posible. Pero más importante que la capacidad de recitar es que esté expuesto desde muy pequeño a los números y conceptos relacionados entre sí para comprender las cosas dándoles un significado. La mejor forma de enseñar a tu pequeño los conceptos de número, forma y tamaño es mediante la manipulación de objetos. Los bloques lógicos cumplen con esta función, ya que podéis clasificar tanto por formas (círculo, cuadrado, triángulo, rectángulo), como por tamaños (grande, pequeño), grosores (fino, grueso) o colores (rojo, amarillo y azul). A la vez que el niño disfrutará a tope, también desarrollará su imaginación realizando una creación determinada a su elección.

Uno a uno

2

En el aprendizaje de las matemáticas es tan importante la «teoría de los conjuntos» como el «concepto de uno a uno». La correspondencia uno a uno es básica para la comprensión del número. Un juego divertido para adquirir este conocimiento es coger una fuente y un embudo; mientras sujetas el embudo, tu pequeño irá pasando uno a uno los macarrones a la vez que contáis uno, dos, tres...

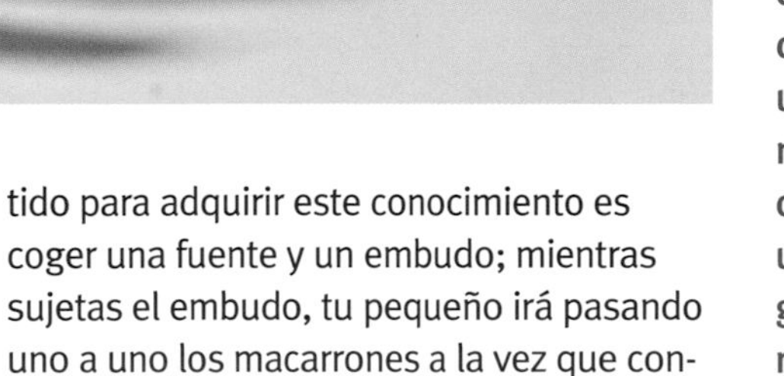

Su mayor motivación será ver cómo se llena la fuente de pasta a la vez que aprende a coger de uno en uno los macarrones ya que, de lo contrario, si echa un puñado de golpe, se le acabará la diversión porque se atascará.

3 Este niño no para

A partir de los 2 o 3 años los niños, más que caminar, corren, y muchas veces se caen. Aún se desplazan con torpeza, pues su dominio del cuerpo es imperfecto. La frenética actividad física que tu hijo desarrolla es necesaria para mejorar su motricidad. Por momentos intenta saltar a la pata coja o con los pies juntos, y lo mismo quiere caminar por encima de un muro que subir y bajar una y otra vez los escalones de todos los portales por los que pasáis durante vuestro paseo diario; todas estas actividades hacen que este momento se llene de diversión e intriga. Todos los días tu pequeño siente la necesidad de moverse. En los días de lluvia en que no puedas salir de casa organízale un circuito. Unos cojines grandes de sofá te servirán de módulos y varias cuerdas colocadas haciendo círculos harán las veces de aros para poder pasar de uno a otro.

Andar en la cuerda floja

La espontaneidad es la clave del descubrimiento en el juego de los niños pequeños durante los primeros años. La fortaleza y la eficiencia física son muy importantes para el niño puesto que siente que su cuerpo es «él mismo». Tu pequeño se impondrá desafíos y se esforzará por alcanzarlos, poniendo a prueba continuamente sus propios límites. Sabe que puede caminar, pero necesita comprobar hasta dónde. Sabe que puede trepar, pero tiene que descubrir si podría hacerlo sobre la silla o la mesa. Poco a poco descubre más cosas sobre lo que puede o no puede hacer con su cuerpo. Para un niño de esta edad andar con un pie delante del otro es una labor difícil. Coloca en el suelo unas cintas separadas una de la otra de forma que pueda andar entre ellas. Poco a poco puedes ir juntándolas hasta que se convierta en una sola, como si se tratara de pasar por la cuerda floja.

5 Crecer por arte de magia

Tu hijo cambia y crece gradualmente. No se transforma de la noche a la mañana y pasa de bebé a niño delante de tus propios ojos, pero este cambio en particular del niño pequeño al niño en edad preescolar resulta un tanto repentino y mágico. Los cambios que tienen lugar durante el tercer año de vida del niño no te parecerán tan evidentes como lo fueron en su primer y segundo años, pero parecen enormes porque posiblemente harán que cada día te resulte más fácil vivir con él. Parece que este cambio se produjo de un día al otro como por arte de magia. Buena parte de esta magia radica en la aparición del lenguaje. Tu hijo ahora comienza a hablar. Habla contigo y en especial con sus muñecos; para ser más exactos, habla mientras juega. Durante el juego reinventa todas las situaciones que ha vivido hasta ese momento. Procura propiciar estas situaciones con juguetes adecuados para que en un momento dado pueda hacer una comida, limpiar la casa o simular que sale de paseo con su bebé.

Tu hijo de treinta meses

1 Una casa para todos

Ayúdale a conseguir que una caja de cartón grande se convierta en una casa en la que el niño pueda entrar de pie. Abrid las ventanas y las puertas y a continuación disfrutad decorándola y pintándola.

En nuestros grupos de juego el objetivo principal es preparar al niño para su incorporación a la etapa preescolar cuando tenga los tres años. El concepto de trabajar en equipo mediante juegos compartidos como construir una casa para todos es una buena idea. Cada uno puede aportar sus ideas, realizar pequeños pactos entre ellos y repartir el trabajo. Todo esto en un ambiente divertido y con objetos fascinantes como tijeras, pegamentos, papeles de colores, rotuladores, témperas, pinceles, rodillos...

Te cuento mi historia

2

Vuestro pequeño ya no funciona tan sólo con la inteligencia sensoriomotora. Con la aparición de la inteligencia representativa y el simbolismo ha experimentado un cambio enorme. Esto quiere decir que ya no realiza todas las actividades sólo por imitación, sino que incorpora aspectos de su personalidad y construye una «imagen propia» del mundo que le rodea desde que nació. Ahora es él el que transmite a su muñeco lo que ha vivido y le cuenta «su historia»; en estos momentos verás reflejada muy rudimentariamente su visión de sí mismo, de los demás y del mundo. Mantente atenta cuando juegue, pero sin interrumpirle; así podrás obtener información y sabrás cómo guiarle en el futuro.

3

El orinal ¿para cuándo?

Las niñas suelen ser más precoces que los niños.

Por regla general la capacidad de permanecer seco suele adquirirse entre los dos años y medio y los tres años, y se establece antes el control diurno que el nocturno.

La mayoría de los conflictos relacionados con el «control de esfínteres» se produce porque los padres suelen decidir que sus hijos deben, por su propio bien, aprender a controlar los esfínteres a una determinada edad. Nosotras preferimos la expresión «elegir el orinal» a la de «control de esfínteres». Nadie puede controlar el funcionamiento de los intestinos y la vejiga de otra persona. Pero cuando haya llegado este momento entonces sí que le puedes echar un cable a tu hijo para que aumente gradualmente la frecuencia del uso del orinal y fijar unos horarios para ello, evitando así que sean demasiado largos y aburridos. Ofrécele un libro divertido que trate sobre el tema con imágenes coloridas. Elogia sus éxitos y evita las críticas y el castigo.

La alfombra mágica

El juego es el trabajo más importante en la vida del niño. Jugando descubre nuevos movimientos, espacios y ritmos corporales. Se divierte empujando o arrastrando diferentes objetos y juguetes. La actividad de viajar en la alfombra mágica le ofrece todas estas posibilidades. Los niños pueden turnarse para ser el viajero al que arrastra el vehículo (la alfombra) yendo hacia los lados, marcha atrás o en círculos. En la acción de arrastrar encontrará placer porque compartirá el juego con otros niños, expresará sus afectos a través de su corporalidad y de esta manera vivirá su cuerpo como una totalidad. El pequeño siente que el juguete (la alfombra) despierta su interés, que éste puede ser compartido con otro niño (interés mutuo) y que puede reencontrarse una y otra vez con el placer del movimiento que él mismo es capaz de generar.

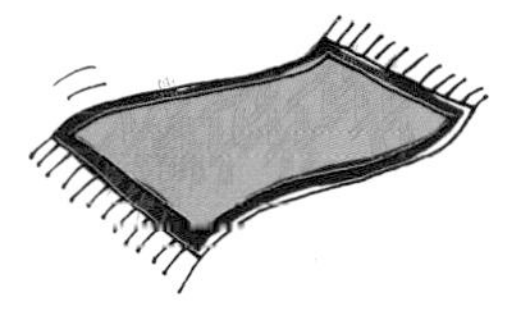

El puzle gigante

Ha llegado el momento de aprender investigando con curiosidad. La curiosidad es un componente importantísimo en la adquisición de una inteligencia integrada que se enriquecerá con la experiencia interior vivida por el niño en el proceso de juego. El puzle es un juguete adecuado para fomentar tanto la inteligencia práctica (lógica-racional) como la emocional (intuitiva). Además contribuirá a que adquiera mayor destreza manual, acreciente sus periodos de atención y concentración, relacione las formas y las ubique espacialmente, practique con el conocimiento visoespacial y recomponga la figura a partir de la identificación de las partes. Es muy importante inculcar en el niño estos conceptos para un futuro aprendizaje más complejo.

Tu hijo de treinta y un meses

1 Punzando

Deja simplemente que tu pequeño te imite cuando esté capacitado para ello. Nunca le obligues a hacerlo.

Antes de aprender a escribir las letras del alfabeto, existen actividades divertidas para tu hijo que le ayudarán a desarrollar el control de la «motricidad fina». Cuando llegue el momento de escribir letras sobre el papel, sus manos deben tener la coordinación suficiente para trazar líneas verticales, horizontales, curvas y oblicuas. Utiliza una plancha de goma sobre la cual coloques un papel blanco para que con un punzón de uso escolar pueda comenzar a jugar a su manera para que no se salga de los límites del papel. Bajo tu supervisión, deja que dé rienda suelta a su creatividad mientras tú con otra plancha puedes realizar el juego marcando con tu punzón líneas que se describan de izquierda a derecha, así como otras verticales.

El collage más bonito

2

Las manos constituyen el instrumento más importante para la exploración activa. El niño pequeño debe entrar cuanto antes en contacto con todo tipo de objetos con los que realizar sus experimentos: crayons, lápices de colores, tiza, plastilina, pinturas. Además de activar de esta manera sus manos y dedos, también fomentamos el desarrollo de su creatividad. Si le proporcionas a tu hijo la oportunidad de tener éxito en sus actividades creativas, fomentarás su deseo de aprender y le infundirás el sentimiento de seguridad y de control sobre su habilidad para superar las dificultades. Para realizar el collage más bonito de la casa puedes usar la variante de mezclar harina de maíz con colorante de cocina, aceite y agua hasta conseguir una pasta firme que sustituya la plastilina.

3 El cuento, mi mejor amigo

Regálate 20 minutos al día para acompañar a tu hijo en el diálogo y la emoción a través de la lectura. La reflexión espontánea que el cuento genera puede facilitar soluciones a problemas cotidianos. Puedes obtener información sobre tu pequeño, ya que proyectará con mucha facilidad sobre las imágenes todo lo que pasa por su cabecita o lo que preocupa a su pequeño corazón. El sentido de la vida se construye desarrollando opciones creativas para combatir la adversidad, aun cuando parezca que ésta no deja otra opción que la tristeza. A través del cuento y con tu amorosa sabiduría como guía el pequeño recuperará la esperanza y la confianza interior que son necesarias para afrontar con dignidad el acto de vivir.

Jugar a papás y mamás

4

MES 31

Los últimos cambios sociales se han traducido en una transformación importante en el comportamiento familiar. Hoy en día no sólo las madres, sino también los padres realizan los cuidados de sus bebés y tanto los niños como las niñas disfrutan cuidando con amor y ternura una muñeca. Los pequeños pueden fingir ser papá o mamá. En este juego hay un proceso de imitación simbólico cuando bañan a su muñeco, le dan el biberón o le cambian los pañales.

De igual modo, cuando tu hijo necesite consuelo —tal vez a la hora de acostarse— le puede dar abrazos y achuchones, así como enfadarse libremente desahogando sus penas sobre ella, especialmente cuando le hayas regañado por algún motivo.

5 Yo solito

Ha llegado el momento de que tu pequeño vaya aprendiendo los hábitos del aseo. Este aprendizaje resultará mucho más fácil con la utilización de unos muñecos o figuras de animales recortados de cartulina. Recorta también aquellos objetos necesarios para lo que le quieres enseñar a tu hijo: cepillo de dientes, peine, calcetín, jersey, gorro, zapatillas... y espárcelos en el suelo alrededor del muñeco. Invítale a participar en la preparación de este quehacer. Generalmente se muestran fascinados con este procedimiento. Cuando le toque realizar el acto sobre sí mismo, sé paciente y no exijas que lo haga con perfección. Podéis referiros al juego arriba mencionado y animarle a hacerlo por sí solo.

Tu hijo de treinta y dos meses

1 El arquitecto

Si tu pequeño está aburrido durante un día lluvioso o frío, aprovecha para poner en práctica importantes habilidades de coordinación para desarrollar su motricidad fina, y también para aprender el nombre de los colores. Es un método bueno para pasar juntos una tarde haciendo algo en familia y comenzar la iniciación de los juegos de mesa. Para animar al niño a jugar, coloca tú algunos de los cilindros sobre el tablero mientras comentas los colores. Luego le dices «Ahora te toca a ti». Déjale tiempo para que busque el color correcto, y también para que coloque la próxima plancha encima de los cilindros diciendo: «Ahora me toca a mí». Comenta lo bien que está jugando y lo capaz que es de esperar su turno. Si no es así, no hagas ningún comentario peyorativo y sigue jugando con él.

Los pececitos

2

El deseo del pequeño de tocar y examinar cualquier objeto que tiene cerca forma parte de su experiencia educativa y fomenta su creatividad. Escoge con tu hijo el color de la cartulina en la que dibujaréis y recortaréis unos pececitos. Dibújalos en ambos lados y pégalos en un palito de helados para poder manejarlos con facilidad. Comenzad con unos movimientos ondulados, como si estuvieran nadando. Luego los podéis mover hacia arriba o abajo, alejarlos del cuerpo y colocarlos por detrás. Mientras, podéis cantar esta canción:

Tengo un pececito que sabe nadar,
por arriba, por abajo, por delante
y por detrás.
Otro pececito le viene a visitar,
se dan un besito: mua, mua,
y se van a pasear...

Mientras jugáis, tu hijo perfeccionará los movimientos de sus manos y aprenderá los conceptos.

MES 32

El cuentacuentos

Un cuento una vez al día ayuda a los niños a ser más despiertos y a adquirir recursos, además de introducir a los más pequeños en el mundo de la literatura. Despierta la curiosidad, estimula la imaginación y desarrolla la capacidad de raciocinio. Es una bonita actividad para que los niños la compartan, de modo que pueden turnarse para contar cada uno «su cuento». También existe la posibilidad de que los padres o abuelos hagan de público y el pequeño asuma el papel de «cuentacuentos». Este juego da mucho de sí y fomenta la capacidad de expresión y adquisición de nuevas palabras, conceptos e ideas sobre los cuales se puede establecer todo un debate en forma de tertulia lleno de humor y alegría.

Inventando historias

4

Algunas veces la hora de los cuentos es un momento delicioso, durante el cual tu hijo puede relajarse y escuchar. En otras ocasiones participará de forma activa contestando tus preguntas, especialmente si se encuentra en una postura cómoda para él. Así que no lo pienses dos veces: échate a su lado y a disfrutar juntitos. Después de una página llena de acción, haz preguntas acerca de lo que está ocurriendo. Tu hijo no será capaz de contestar a todas tus cuestiones, pero cuando esté muy familiarizado con una historia, haz una pausa y pregunta lo que va a ocurrir a continuación. Mantén su interés por la historia, pues sólo tú puedes inculcarle el placer por la lectura, y recuerda: padres lectores-niños lectores.

¿Quién soy yo?

La manera más simple de hacerse pasar por otro es la de pintarse la cara. A los niños les encanta convertirse de repente en un tigre feroz o en un gatito remolón. Lo que más les divierte es pintarse unos a otros y ver la reacción de sus padres frente al nuevo personaje. Prepárate para encontrarte de tertulia con un extraño ser hasta la hora del baño. Entra en su juego y no te extrañe que cuando te hayas acostumbrado al nuevo personaje de repente declare que ya es otra persona. Ríete y disfruta con él. Hay pinturas especiales para aplicar sobre la piel; es más recomendable que recurrir al maquillaje de los adultos.

Tu hijo de treinta y tres meses

1

El pequeño saltamontes

Un tono muscular adecuado en las actividades motrices y posturales fija la actitud, prepara el movimiento, sustenta el gesto y mantiene la estática y el equilibrio. Es preciso permitir al niño pequeño ejercitar esta acción de control global sobre el tono, por una parte para adquirir un buen equilibrio corporal y por otra para evitar las típicas caídas producto de la torpeza.

El siguiente juego atrae su atención sobre las referencias perceptivas motrices, visuales y sonoras. Coloca unos aros en el suelo y pon una música marchosa. Cuando comienza el sonido, debe correr evitando los aros, yendo de uno a otro o saltando dentro de ellos. Cuando la música se pare, tendrá que quedarse quieto y en silencio, y cuando vuelva a sonar, continuar nuevamente el juego.

Rueda que te rueda

Es preciso que el niño adquiera un cierto dominio global de su cuerpo y comprenda los conceptos de arriba-abajo-fuera-dentro. También que sea capaz de realizar un seguimiento visual tanto en horizontal como en vertical y de practicar giros hacia la derecha e izquierda con su cuerpo. Para este juego necesitas un aro de un diámetro de 40 cm (se puede adquirir en jugueterías). Invita al niño a coger el aro, pasarlo desde la cabeza hasta los pies y dar giros hacia un lado y hacia el otro mientras sigue con los ojos todos estos movimientos. Puedes acompañar estos giros con la canción (véase *Todo un mundo por descubrir*, Ediciones Pirámide):

Soy como una rueda que gira y gira por la acera,
doy vueltas y vueltas, rueda que rueda (Carlos Gianni).

3 Pies, para que os quiero

Cuando ya domine la situación, puedes ofrecerle también unas canicas para que lo pase bomba con los ruiditos que producen al traspasarlas a un cuenquito.

Para caminar y apoyar los pies correctamente en el suelo es necesario ayudar a tu hijo a desarrollar la musculatura de los pies y a fortalecer los tobillos, el empeine y la flexibilidad de los dedos. Para tener unos pies sanos es necesario que sus dedos sean flexibles y el metatarso y el tobillo firmes y seguros. Todos los pequeños disfrutan pataleando y andando descalzos moviendo los dedos a su antojo. Aprovechando esta circunstancia, puedes jugar a que coja pañuelos de papel entre sus deditos.

Vamos al médico

4

Las experiencias desconocidas pueden ser realmente traumáticas para un niño pequeño, por ejemplo cuando tenéis que ir al médico o al hospital a hacer alguna exploración especial. Unos días antes es conveniente realizar la dramatización de lo que va a suceder creando el escenario para la representación con todo el material necesario. Este juego puede ayudarle a tener más confianza en vosotros y menos miedo a lo desconocido. Mientras jugáis, explícale lo que se le va a hacer: mirarle la garganta, hacerle una operación especial, tomar la fiebre, ponerle una inyección o realizarle una exploración general. Esta actividad la podéis también realizar sobre su muñeca o peluche, llevarlo con vosotros a la consulta y permitir al pequeño integrarlo en todo el proceso.

5 Una buena alternativa

Escribir es una habilidad sensoriomotora, y hay que saber que todo lo que contribuya a mejorar la coordinación entre las manos y los ojos del pequeño le ayudará a escribir cuando llegue el momento; por otro lado también la flexibilidad de la muñeca y de los dedos es determinante para ejecutar movimientos y trazos precisos, sistemáticos, ordenados y fluidos. Hay juegos que favorecen positivamente la sensibilidad de la yema de los dedos y la segmentación de éstos. Ofrece a tu hijo la posibilidad de garabatear, recoger pequeños objetos con los dedos, colorear dibujos sencillos y pegar pegatinas de colores dentro de un dibujo determinado.

Más adelante puedes complicar el ejercicio animándole para que lo realice dentro de los límites de una figura.

Tu hijo de treinta y cuatro meses

1

Vivir tu cuerpo

Motricidad y psiquismo están íntimamente fusionados en el niño pequeño. La personalidad del niño se desarrollará a través de su corporalidad. En esta etapa es conveniente favorecer el equilibrio estático y dinámico y afianzar el control postural a través de juegos de mucho movimiento y de exploración activa en los que estén presentes acciones como subir y bajar por un plano inclinado, transportar una torre de cubos o caminar de puntillas. Con estos juegos el espacio se ampliará y el niño se desenvolverá en él y calculará distancias y direcciones en relación a su propio cuerpo.

Ofrécele todo tipo de módulos, cajas de diferentes tamaños, cubos, cojines, almohadones para que pueda apilar, transportar e inventar diferentes juegos mientras explora en el espacio.

El puzle

2

Ofrécele el puzle para que sea él mismo el que lo deshaga y vuelva a montarlo, mientras verbalizáis los nombres de las figuras y charláis amenamente; de esta manera fomentarás también el desarrollo de su lenguaje y la adquisición de un buen vocabulario.

La mayoría de las actividades que llevamos a cabo, por muy breves que sean, exigen el esfuerzo de permanecer atentos durante un cierto periodo de tiempo. A partir de los dos años y medio el niño desarrolla progresivamente un mayor control de la atención que, por cierto, será muy necesario para cuando comience sus estudios. Utiliza un puzle de cartulina de tres a seis piezas con figuras de animales, frutas, coches o barcos, lo que más le guste a tu hijo para que se sienta más motivado. Pon música tranquila para crear un clima distendido.

3

Como una ducha

Los niños que tienen conocimiento y confianza en su cuerpo suelen también estar más seguros de sí mismos en otros terrenos. Asimismo, tienen tendencia a conocer sus propias capacidades y combinarlas con el conocimiento de las capacidades del otro convirtiendo así la actividad en un juego social. Con el juego de «como una ducha» logramos la identificación de las partes del cuerpo mientras juegan a frotarse uno al otro diciendo: *«Ahora cae el agua por tu cabeza, por tus brazos, cuerpo y piernas; echaré el jabón en tu cabeza, en tus brazos... Y vuelve a caer el agua por tu cabeza. Después te secaré con la toalla...».*

Es necesario que el niño se conciencie de su propio cuerpo y realice un aprendizaje lúdico de buenos hábitos como la higiene personal. También se puede jugar con los hermanos y padres.

Crear con las manos...

4

Desde el nacimiento, el niño descubre el mundo que le rodea a través de los sentidos. A medida que crece comienza a oler, tocar, escuchar y observar todo y a todos con una mirada intensa y atenta. El hogar es para el pequeño un paraíso que descubrir mediante los sentidos. Es vital para el desarrollo de la creatividad tener continuamente momentos llenos de experiencias vivas, sin ningún tipo de presión que le atosigue. Puedes preparar actividades y juegos que sirvan para destacar la experiencia sensorial de tu hijo. Extiende un papel grande blanco sobre el suelo. Coloca en una bandeja pintura de dedos ligeramente aclarada con agua para que la textura no sea muy espesa. Mete una de tus manos y muéstrale cómo ponerla sobre el papel para que aparezca la huella de la mano sobre él. Deja que se acerque y moje sus manitas para imitarte. A partir de ahí él solo se organizará su juego.

5 Crear con los pies...

La maravillosa experiencia que es jugar a pintar libremente permite que el niño disfrute del tacto de otra forma. Es muy probable que al principio sólo se pringue las manos, pero luego pasará a los brazos e incluso le interesará mancharse la cara. No importa: es su juego. Si le dejas casi desnudito para que disfrute del tacto con todo su cuerpo, poco a poco comenzará a pasarse la pintura por las rodillas, las piernas y los pies. Disfrutará de esta experiencia de una forma lúdica si no le pones trabas para la realización de esta actividad. Sentir cómo la pintura pasa a través de los dedos de los pies, dejar la huella sobre el papel, observar cómo cambia ésta si anda de puntillas o si apoya todo el pie y asombrarse al contemplar cómo la de tu pie es realmente mucho más grande que la suya le ayudará a disfrutar de las sensaciones del tacto y a desarrollar su creatividad.

Tu hijo de treinta y cinco meses

1 Lluvia de globos

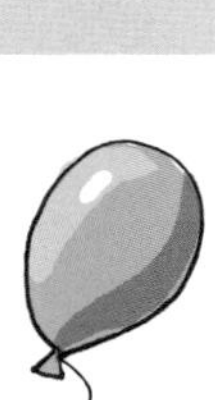

Los primeros años son cruciales en el desarrollo motriz del niño. La habilidad corporal básica y el repertorio de nuevos movimientos se adquieren sólo en la primera infancia, y luego simplemente irán mejorando. El objetivo principal es desarrollar las capacidades corporales del pequeño y divertirse juntos. Lanzar y coger globos en movimiento, hacerlos rodar, patearlos, soplarlos, jugar a correr detrás de ellos cambiando la dirección del recorrido. Colocarlos en una sábana y hacerlos bailar para que vuelvan a volar mientras se van nombrando los colores. Puedes usar también globos de colores poco convencionales como el morado o el naranja. Mientras jugáis, deja que chille, cante, baile y corretee gastando todas las energías acumuladas para que disfrute a tope.

Ratón ton ton

2

Para despertar el deseo de aprender en tu hijo, la enseñanza debe ser lúdica. Él lo que quiere es pasarlo bien, reír, divertirse y descubrir el placer en las actividades que realiza. Los pequeños son curiosos por naturaleza y todo lo que está fuera de su vista escondido les llama poderosamente la atención. Recorta de una cartulina roja unos botones, ponles una cuerdecita para que pueda cogerlos con facilidad y esconde debajo la figura de un animalito. Podéis imitar los sonidos y movimientos y también describir sus características a la vez que cantáis una canción en función del animal que hayáis escogido; por ejemplo:

Debajo de un botón ton ton / que encontró Martín tin tin
había un ratón ton ton / Ay qué chiquitín tin tin.

Una rana muy alegre

Es conveniente que el niño poco a poco aprenda a expresar sus emociones y permitirle que lo haga. El mejor camino para ello es la simulación de las diferentes expresiones sobre unos animalillos fabricados de cartulina que él puede manejar a su antojo. Píntales caras alegres, tristes, llorosas, sorprendidas... Comienza con el juego de «la rana» ¿Cómo es la rana? Es de color verde, tiene cuatro patas, salta y hace croac, croac. La rana está alegre o... Entonces el pequeño se topa de cara con aquella rana que lleva la expresión correspondiente.

La imitación es una valiosa técnica de aprendizaje tanto para el movimiento como para el desarrollo del lenguaje, especialmente si representáis con el cuerpo el movimiento y si usáis los sonidos onomatopéyicos adecuados.

Con buenos modales

4

Los hábitos que adquirimos en la infancia perduran para siempre. Los buenos modales has de comenzar a usarlos en los primeros años de vida de tu hijo y así aprenderá a ser educado y amable en un entorno en el que lo vive día a día. Inclusive los imitará con gran placer cuando juegue con sus amiguitos a «tomar un chocolate». Cuando comprende que los demás serán más amables y cordiales con él cuando use con una sonrisa las palabras mágicas «por favor» y «gracias» ya nunca las olvidará y las repetirá sin cesar. Puedes incluso encontrarte con la sorpresa de que te corregirá cuando te pille en falta. Intenta adecuar las exigencias según la edad y capacidad de tu pequeño.

MES 35

5 Yo por ti, tú por mí

Los juegos sociales tienen una importancia muy marcada en la vida del niño. Nos reunimos con nuestros semejantes de maneras diferentes y según la percepción de la influencia del ambiente sobre la persona así como la adaptación de uno mismo a ello o la madurez en el desarrollo social. Para que este proceso se lleve a cabo en el niño, es necesario que esté en equilibrio la necesidad del pequeño al realizar ciertas actividades sobre otras, así como su habilidad para reconocer aquellas demandas que los otros le hacen a él.

Cuando tu hijo comience con los juegos sociales facilítale los instrumentos necesarios, pero no intervengas en el reparto de papeles.

Estos juegos pueden ser: peinarse entre ellos, cocinar uno para el otro, construir una casa o un ferrocarril para la ciudad...

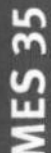

Tu hijo de treinta y seis meses

1 Bailando para Miranda

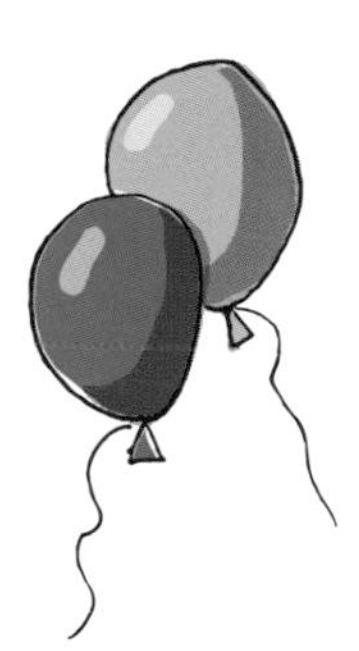

Ten algún globo de reserva para una emergencia en caso de berrinche, de modo que al final no se «estropee» el día.

A Miranda le encantaba bailar. Apenas oía una música, empezaba a moverse con el culete en pompa disfrutando del juego. Como a ella, a la mayoría de los niños les gusta moverse de aquí para allá. Con globos es más divertido. Además, cuando salgas de paseo, aprovecha para llevar contigo varios globos de colores. Cuando encuentres un sitio adecuado, intenta soltarlos para que tu hijo pueda contemplar cómo se alejan hacia el cielo. De esta forma fomentarás el desarrollo de su visión (véase *Todo un mundo por descubrir*, Ediciones Pirámide). Para hacerlo más ameno, y mientras observáis el vuelo, puedes contarle un cuento; por ejemplo: «Mira cómo vuelan los globos hacia los niños que se encuentran entre las nubes, el sol y las estrellas y disfrutan columpiándose en la luna. Te agradecerán este hermoso regalo que les envías».

Y a ti ¿qué te pasa?

Cuando tu hijo demuestra alguna emoción, aprovecha la ocasión para ponerle nombre; por ejemplo, «pareces alegre o estás enfadado». Designa también tus propios sentimientos. Los padres somos una fuente de autoimagen en la cual el pequeño se refleja para aprender a expresar y controlar la manifestación de sus sentimientos. Bautiza un rincón de la casa como «el rincón del enfado» y provéelo de cojines viejos, muñecos y peluches. Ahí podrá dar patadas, llorar o gritar solo y en total libertad.

Los sentimientos negativos que se expresan y aceptan pierden su poder destructivo y permiten que vuelva a surgir la alegría en su pequeño corazón con todo su esplendor.

3 Amigos para siempre

Se puede modificar el comportamiento del niño, pero no los sentimientos.

El hecho de aprender cómo expresar y controlar los sentimientos es un proceso que se prolonga durante toda la vida. Cada niño es un ser diferente, y el tratamiento de las emociones es un trabajo duro para tu pequeño que además exigirá tiempo y paciencia por tu parte y una buena dosis de empatía. La empatía consiste en la comprensión del punto de vista del otro. Cuando uno es empático, no trata de modificar los sentimientos del niño, sino de comprender el proceso que ha experimentado. De esta manera adquiere el verdadero autorrespeto, indispensable para una vida social sana. Los pequeños jugarán a hacer promesas de «amigos para siempre» entre efusivos abrazos o compartiendo secretillos con susurros y cuchicheos generando una complicidad muy necesaria a esta edad.

Tú o yo

4

¿Quién no ha sentido celos alguna vez? Es algo totalmente normal y natural. Los celos son, básicamente, miedo a no ser querido. Pues la mejor manera de curar este mal es el amor. El niño pequeño, si experimenta unos celos exagerados, podría desvalorizarse y creer que no le quieren porque no se lo merece. En este caso es importante que se sienta amado y comprendido por sus padres, especialmente si ha llegado un nuevo bebé al hogar. El niño no entiende por qué le ha salido un competidor tan pequeño y tiene sentimientos encontrados: no sabe si amarlo o fastidiarlo. Deja que achuche al bebé, pero siempre bajo tu atenta mirada. Intenta organizar programas divertidos con el mayor, hazle saber el aprecio que sientes por sus logros y lo mucho que disfrutas en su compañía y dile sin cesar: «Te quiero».

Crecer en familia

Deja que tu hijo te tome de la mano y a través de sus ojos asombrados descubre su mundo, que es también el tuyo. Los niños hasta los tres años están en una fase en la que necesitan compartir los juegos con sus padres. Intenta pasar con cada hijo aunque sea media hora al día haciendo aquello que especialmente le agrade: aumentarás notablemente su felicidad interior. Con esta forma de «estar juntos» conseguirás disminuir la rivalidad entre ellos, que se sientan satisfechos consigo mismos, que entiendan el concepto del sentido común y que sean tolerantes. Felicitaos: habéis logrado que vuestros hijos sean BUENA GENTE.

Resumen del tercer año

De 24 a 36 meses	
Sube la escalera alternando ambos pies. Salta de una altura de 40 cm. Consigue sostener con una mano un vaso de agua. Imita y copia las líneas verticales, horizontales y círculos. Utiliza el lápiz con bastante destreza. Juega doblando papeles y consigue realizarlo tanto a lo largo como a lo ancho.	**Su motricidad**
Aparece la inteligencia representacional. La capacidad de utilizar símbolos, sin necesidad de que éstos estén presentes. Mientras juega, habla y utiliza su imaginación. Jugando inventa y busca alternativas. No es recomendable atosigarlo con juguetes que hacen todo por sí mismos, sino dejar a su alcance objetos no convencionales. Suele construir puentes, torres y caminos, ya que a esta edad está dotado para el control del plano vertical y horizontal y necesita ponerlo en práctica. Tiene un vocabulario próximo a las mil palabras y comprende y responde a situaciones no presentes.	**Su inteligencia**
Regula las necesidades del control de esfínteres, por lo cual inicia la afirmación del yo. El negativismo y las contradicciones desembocan en crisis de personalidad a consecuencia de la necesidad de autonomía. Come solo, duerme toda la noche y necesita poca ayuda para vestirse. Se refiere a sí mismo por su nombre y expresa sus deseos verbalmente. Se interesa por jugar con otros niños y aprende a cooperar y a esperar su turno.	**Su vida social**
Recoge hojas de los árboles, rasga papeles de colores y recorta con las tijeras pequeños trocitos de cartulina. Pégalo junto a tu hijo sobre una cartulina y colócalo en este espacio. Será su primera obra de arte y quedará guardada para cuando sea mayor.	**Recuerdo de sensaciones**

Anota sus anécdotas cotidianas

Conforme tu hijo vaya creciendo, pasará de sentir fascinación por su mordedor a volverse loco por un palito que encontró en el parque. En una caja recoge sus pequeños tesoros. Cuando sea más grande le hará ilusión tener su cajita de anécdotas.

Pega aquí la fotografía de tu hijo